水文水资源设施工程建设项目管理

主　编　张文胜　田水利

副主编　魏广修　蒋昕晖　蒋　蓉

黄河水利出版社

内 容 提 要

　　本书按照国家、水利部、建设部对水文水资源工程建设项目管理的有关要求,结合全国水文水资源设施工程建设与管理的特点,分别从水文水资源设施工程基本建设程序、招标投标管理、合同管理、投资控制、建设实施阶段管理、建设监理、工程质量管理、工程验收、后评价等方面,对水文水资源设施工程建设项目各方面、各阶段具体内容和要求进行了系统介绍。

　　本书内容丰富,实用性、可操作性强,适合从事水文水资源设施工程建设的规划设计、计划管理、财务管理、施工、监理、质量监督、后评价等方面的技术和管理人员使用。

图书在版编目(CIP)数据

　　水文水资源设施工程建设项目管理/张文胜,田水利主编.
郑州:黄河水利出版社,2005.6
　　ISBN 7-80621-716-9

　　Ⅰ.水… 　Ⅱ.①张… 　②田… 　Ⅲ.水利工程-项目
管理 　Ⅳ.TV512

　　中国版本图书馆 CIP 数据核字(2005)第 050259 号

出　版　社:黄河水利出版社
　　　　　　地址:河南省郑州市金水路 11 号　　邮政编码:450003
发行单位:黄河水利出版社
　　　　　　发行部电话:0371-66026940　传真:0371-66022620
　　　　　　E-mail:yrcp@public.zz.ha.cn
承印单位:黄河水利委员会印刷厂
开本:787mm×1 092mm　　1/16
印张:11
字数:254 千字　　　　　　　　印数:1—1 600
版次:2005 年 6 月第 1 版　　　印次:2005 年 6 月第 1 次印刷
书号:ISBN 7-80621-716-9/TV·330　　定价:22.00 元

前　言

为进一步适应国家新的投资管理方式,规范水文计划管理工作,提高水文水资源设施工程建设项目管理水平,我们编辑出版了《水文水资源设施工程建设项目管理》一书,以便于水文系统计划管理人员学习、参考,以及各级领导和有关部门的同志在实际工作中查阅。

本书从工程建设项目管理的基本原理出发,结合水文水资源设施工程实际,系统而概括地介绍了水文水资源设施工程建设项目的立项决策管理、设计管理、招标投标管理、合同管理、质量管理、进度管理和控制、投资控制、工程监理、竣工验收及项目后评价。内容丰富、翔实,具有较强的知识性、实用性。

全书共分11章,其中第一章介绍了水文水资源建设项目管理的概念,第二章、第三章分别介绍了水文水资源建设项目的立项决策和设计管理,第四章介绍了水文水资源建设项目的招标投标管理,第五章介绍了项目的合理管理,第六章介绍了工程项目的质量管理,第七章介绍了建设项目的进度管理和控制,第八章介绍了建设项目的投资控制,第九章、第十章分别介绍了建设项目的工程监理和竣工验收,第十一章介绍了建设项目后评价的范围、内容和方法。

本书第一章、第八章、第十一章由张文胜、田水利编写,第三章、第五章由魏广修编写,第二章、第九章、第十章由蒋昕晖编写,第四章、第六章、第七章由蒋蓉编写。全书由张文胜统稿。

本书的编写,参考和引用了一些相关专业书籍的论述,编著者在此向有关人员致以衷心的感谢!

由于编写时间仓促,加之我们的水平和掌握的资料有限,不足之处在所难免,敬请读者批评指正。

编　者
2005 年 4 月

目　录

第一章 建设项目管理概述

第一节 建设项目概述

一、建设项目的基本概念

(一)"项目"的基本含义

"项目"来源于人类有组织的经济活动。随着人类社会经济生活的不断发展,人类有组织的经济活动逐步分化为两种类型:一类是连续不断、周而复始的活动,人们把这类活动称为"作业"(Operation);另一类是被人们称之为"项目"(Project)的活动。按照现代项目管理理论,一个组织为实现其预定目标,在一定的时间、人员和资源条件约束下所进行的具有独特性的一次性活动,称为"项目"。例如,在基本建设领域中,一个工厂或电厂的建设,一个油田的开发以及大坝、水库、水文站、铁路、公路的修建,在生产中新产品的开发,在 IT 行业中新软件的开发,在科学研究中,为解决一个科学技术问题而进行的课题研究,都被称为"项目"。目前,人们普遍认同的"项目"的基本含义是:一个组织在一定的资源约束条件下,为创造一项独特的产品或服务而开展的具有独特性的一次性工作。按照这一定义,"项目"具有以下特性:

(1)目的性。项目的目的性是指任何一个项目都是为实现某一特定组织的预期目标服务的。项目目标一般包括两个方面:一是成果性目标,二是约束性目标。成果性目标用来检验项目的结果,约束性目标用来评价项目活动。

(2)独特性。项目的独特性是指任何项目所产生的产品或服务都有其独特性。有时,虽然项目产品或服务的名称相同,但因项目的目标和实施条件的不同,项目的产品或服务也不同,都有其独特之处。

(3)时限性。项目的时限性是指任何项目都有其确定的时间起点和终点,有始有终。时间起点即项目开始时点,时间终点即项目目标实现、项目终止时点。如果由于条件变化,项目目标无法实现,项目中间停止时点,即为项目的终点。

(4)过程性。项目的过程性是指相对于有待完成的具体的规划、计划或工作任务,项目是为实现特定目标的整个过程,而不是项目终结时所形成的成果。

(5)制约性。项目的制约性是指任何项目都必须在一定的组织内,在一定的资源条件约束下,按照预定的目标进行工作。项目终结时,必须达到事先规定的目标。项目所处的环境和约束条件是决定项目成败的关键因素。

除了上述特性外,还包括项目的不确定性、项目过程的阶段性、项目组织的临时性和开放性等特征。

通常"项目"一词有两种基本含义:一是"项目"(Item),表示事物分成的门类,如体育比赛中的球类项目、田径项目、水上运动项目、冰上运动项目,在投资计划管理中的新开工项目、在建项目、建成投产项目等;二是"项目"(Project),按现代项目管理理论,其基本含义是指在一定的组织内,在一定的资源条件约束下,为创造某种特殊产品或服务而开展的一次性工作或任务,如三峡水利枢纽工程的建设、黄河河源区水文水资源测报体系建设项目等。

(二)建设项目的含义

建设项目是指在一个总体设计或初步设计范围内,由一个或若干个互相有内在联系的单项工程组成的总和。对建设项目范围认定标准是:

(1)凡属于一个总体设计的项目,不论是主体工程,还是相应的附属配套工程;不论是集中在一个场地上,还是分散在几个场地上;不论是由一个施工单位施工,还是由几个施工单位施工,都只能作为一个建设项目。

(2)由若干个相互关联的单项工程组成的建设项目,不管是一次全部开工建设,还是分年度完成,只要是在一个总体设计范围内,都只能作为一个建设项目。

按照现代项目管理理论,建设项目也可简单概括为:在市场分析和预测的基础上,为了实现预期的市场目标和经济社会效益目标,按照限定的质量、工期、投资控制目标和各种资源约束条件,为建设具有某种特定功能的工程而进行的投资建设活动。

二、建设项目的分类

建设项目的分类方式多种多样。依据项目建设的特性和管理工作的需要,常用的分类主要有以下几种情况。

(一)建设项目一般分类

(1)按行业分类:能源项目、交通项目、原材料工业项目、装备工业项目、农业项目、林业项目、水利项目、生态和环境保护项目、商业和服务业项目、科技项目、文化项目、卫生项目、体育项目等。

(2)按投资主体分类:政府投资项目、企业投资项目、外商投资项目、合资项目、民营投资项目等。

(3)按项目建设性质分类:新建项目、扩建项目、改建项目等。

(4)按建设阶段分类:筹建项目、开工项目、在建项目、建成投产项目、收尾项目等。

(二)按建设项目的性质和社会作用分类

(1)基础性建设项目:指具有自然垄断性、建设周期长、投资规模大、投资回收期长、收益较低的基础设施和部分基础工业建设项目,如能源项目、交通项目、水利项目、城市基础设施建设项目等。

(2)竞争性建设项目:主要是指投资收益较好、对市场反应灵敏、具有市场竞争能力的建设项目,如加工工业项目、商业及服务业项目、房地产项目等。

(3)公益性建设项目:主要是指为社会提供服务的建设项目,包括科学研究、教育、文化设施、医疗卫生、体育运动设施、水文水资源设施、生态和环境保护等建设项目。

(三)按建设项目的投资收益能力分类

(1)经营性项目:是指建成投入生产运营后,具有竞争能力和盈利能力的建设项目。

如能源项目、交通项目、通信项目、原材料工业和加工工业项目。

（2）非经营性项目：主要是指建成投入运营后，有明显的社会效益而无直接的财务收益，或财务收益较低的建设项目，如科研、教育、文化设施、医疗卫生、体育设施、大江大河治理、水文水资源设施、生态环境保护等公益性项目。

三、水文水资源设施工程建设项目的特点

水文水资源设施工程建设项目作为一种特殊的"项目"，除具有一般项目的惟一性、一次性、整体性、固定性等特点外，还具有自身的特点。

水文测站点多、线长、面广，交通困难，施工机械难以到达，施工条件非常恶劣，建设地点分散，专业性强，社会化程度低，多数工程项目需要独自组织施工。

水文水资源设施多沿河流分布，点多面广，其建设环境涵盖南北方、东西部、河流上下游和左右岸，情况复杂，类型有水文站、雨量站、流量站、水质站、水文巡测基地、水环境监测中心等，类型繁多，但具体到一个项目则工程规模较小。设计施工、监理等间接费用高，利润率低，投入生产后直接经济效益多为隐性。

四、水文水资源设施工程建设项目分类

（一）水文水资源设施工程建设项目

水文水资源设施工程建设项目主要包括水文测站建设，水文勘测队建设，水文数据中心建设，水环境中心建设，水情中心建设，机动测验队建设和水库、河道测绘队建设等。

（1）水文测站工程建设项目主要包括测验河段基础设施建设，水位观测设施建设，流量及泥沙测验设施建设，降水、蒸发、地下水、水质、墒情测验设施及水文实验站设施建设，生产、生活及附属工程用房建设，供电、给排水、取暖、通信设施建设，其他设施建设等。

（2）水文勘测队工程建设项目主要包括基础设施建设（生产业务用房及附属工程建设等）、水文数据采集系统建设等。

（3）水文数据中心工程建设项目主要包括基础设施建设（生产业务用房及附属工程建设等），水文数据汇编、整编系统建设，水文数据库系统建设等。

（4）水环境中心工程建设项目主要包括基础设施建设（生产业务用房及附属工程建设等），水环境数据采样系统建设，水环境数据分析与处理系统建设等。

（5）水情中心工程建设项目主要包括基础设施建设（生产业务用房及附属工程建设等），水情数据接收与处理系统建设，水情会商系统建设等。

（6）机动测验队工程建设项目主要包括基础设施建设（生产业务用房及附属工程建设等），机动测验、测量系统建设，数据传输与处理系统建设等。

（7）水库、河道测绘队工程建设项目主要包括基础设施建设（生产业务用房及附属工程建设等），外业测量系统建设，成果处理与输出系统建设等。

（二）水文测站工程建设项目各单元工程

（1）测验河段基础设施建设：观测道路、护岸、护坡，测验码头、水准点、断面桩、保护标志等。

（2）水位观测设施建设：水位观测设施设备。

(3)流量及泥沙测验设施:缆道测流设施设备,浮标测流设施设备,测船测流设施设备,桥上测流设施设备,其他方法测流设施设备,泥沙测验设施设备,防雷避雷设施等。

(4)降水、蒸发、地下水、水质、墒情测验设施及水文实验站设施建设:降水、蒸发测验设施设备,地下水观测设施设备,水质监督设施设备,墒情、水温、冰凌观测设施设备及测绘仪器。

(5)生产、生活及附属工程用房(水文测站站房、水文测站汛房、水文测站缆道操作房):地基与基础工程,砌体工程,钢筋混凝土工程,钢结构工程,门窗工程,屋面与防水工程,建筑地面工程,装饰工程等。

(6)供电、给排水、取暖、通信设施建设:给排水等管道工程,供电工程,报汛通信工程。

(7)其他设施建设:围墙,庭院,防火防盗设施,其他工程等。

(三)水文勘测队工程建设项目各单元工程

(1)基础设施建设(生产业务用房及附属工程建设等)。

(2)水文数据采集系统建设:巡测车、船等数据采集与测验设施建设,设备购置与安装等。

(四)水文数据中心工程建设项目各单元工程

(1)基础设施建设(生产业务用房及附属工程建设等)。

(2)水文数据汇编、整编系统建设:软件编制,设备购置与安装等。

(3)水文数据库系统建设:软件编制,数据录入与处理,设备购置与安装等。

(五)水环境中心工程建设项目各单元工程

(1)基础设施建设(生产业务用房及附属工程建设等)。

(2)水环境数据采样系统建设:采样车、船等设施建设,设备购置与安装等。

(3)水环境数据分析与处理系统建设:软件编制,设备购置与安装等。

(六)水情中心工程建设项目各单元工程

(1)基础设施建设(生产业务用房及附属工程建设等)。

(2)水情数据接收与处理系统建设:软件编制,设备购置与安装等。

(3)水情会商系统建设:软件编制,设备购置与安装等。

(七)机动测验队工程建设项目各单元工程

(1)基础设施建设(生产业务用房及附属工程建设等)。

(2)机动测验、测量系统建设:测验、测量设施建设与设备购置等。

(3)数据传输与处理系统建设:软件编制,设备购置与安装等。

(八)水库、河道测绘队工程建设项目各单元工程

(1)基础设施建设(生产业务用房及附属工程建设等)。

(2)外业测量系统建设:测量设施、设备购置等。

(3)成果处理与输出系统建设:软件编制,设备购置与安装等。

五、水文水资源设施工程建设程序

水文水资源设施工程建设程序一般分为规划、项目建议书、可行性研究报告、初步设计、施工准备(包括招标设计)、建设实施、生产准备、竣工验收、后评价等阶段。

(一)规划阶段

规划阶段的主要任务是确定水资源建设的指导思想、总体思路、建设目标、原则和任务,拟定水质监测站网、水环境监测中心等设施的总体布局,以及初步的工程布置方案。

(二)项目建议书阶段

项目建议书应根据国民经济和社会发展长远规划,流域综合规划,区域综合规划,水文水资源、水质等专业规划,按照国家产业政策和国家有关投资建设方针进行编制,是对拟进行建设项目的初步说明。

根据水资源的自然属性,水资源监测项目建议书编制时要注意处理好中央和地方、流域和区域的关系,特别是要注意水资源监测与水利、国民经济和社会发展的关系。其核心是论证项目的必要性,兼顾规模、内容、体制、投资估算、效益。

项目建议书编制一般由政府或业主委托具有相应资质的设计单位承担,按国家现行规定的审批权限报批。项目建议书被批准后,应及时组建项目法人筹备机构,开展下一建设程序工作。

(三)可行性研究报告阶段

项目可行性研究报告一般着重于对项目建设方案进行比较,对在技术上是否可行和经济上是否合理进行科学的分析和论证。经过批准的可行性研究报告,是项目决策和进行初步设计的依据。

项目可行性研究报告由水行政主管部门或项目法人组织编制,并由具有相应资质的勘测设计单位承担。

可行性研究报告,按国家现行规定的审批权限报批。审批部门要委托有相应资质的工程咨询机构对可行性研究报告进行评估,并综合行业归口主管部门、投资机构(公司)、项目法人等方面的意见进行审批。

可行性研究报告经批准后,不得随意修改、变更,如果在主要内容上有重要变动,须经原批准机关复审同意。可行性研究报告批准后,应正式成立项目法人,并按项目法人责任制进行项目管理。

可行性研究报告着重解决的问题有以下几个方面:

(1)从宏观上讲,工程方案本身(系统整体)是否最优;从微观上讲,各部分细部结构是否符合规划要求。

(2)从技术上讲,技术是否先进,功能是否齐全。

(3)从发展趋势讲,是否具备可扩充性和兼容性。

(4)从形式上讲,工程项目与周围环境是否协调。

(5)从费用(投资)上讲,是否做到了经济合理。

(6)从时间上讲,是否符合使用期限,是否符合快速原则。

(四)初步设计阶段

初步设计是安排建设项目年度投资计划的主要依据。初步设计的任务在于进一步论证项目的技术可行性和经济合理性,并解决工程建设中重要的技术和经济问题。

初步设计是根据批准的可行性研究报告和必要而准确的设计资料,对设计对象进行通盘研究,阐明拟建工程在技术上的可行性和经济上的合理性,规定项目的各项基本技术参数,编制项目的总概算。

初步设计报批前,一般由项目法人组织行业各方面(包括管理、设计、施工、咨询等方面)专家,对初步设计中的重大问题进行咨询论证。设计单位根据咨询论证意见,对初步设计文件进行补充、修改、优化完善。初步设计由项目法人组织审查后,向主管部门申报审批。

初步设计经批准后,主要内容不得随意修改、变更,并作为项目建设实施的技术文件基础。如有重要修改、变更,须经原审批机关审批。

(五)施工准备阶段

施工准备是在主体工程开工之前,必须完成的各项施工准备工作,主要包括征地拆迁、三通一平(通水、通电、通信,道路及场地平整)、临时建筑、组织招投标等。

(六)建设实施阶段

建设实施阶段是指主体工程的建设实施,项目法人按照批准的建设文件,组织工程建设,保证项目建设目标的实现。

(七)生产准备阶段

生产准备阶段是由建设阶段转入生产经营的必要条件,包括生产组织准备、招收和培训人员、生产技术准备等。

(八)竣工验收

竣工验收是工程完成建设目标的标志,是全面考核基本建设成果、检验设计和工程质量的重要步骤。竣工验收合格的项目即从基本建设转入生产和使用。

(九)后评价

建设项目竣工投产后,一般经过1~2年生产运营后,要进行一次系统的项目后评价,主要内容包括:影响评价——项目投产后对各方面的影响进行评价;经济效益评价——对项目投资、国民经济效益、财务效益、技术进步和规模效益、可行性研究深度等进行评价;过程评价——对项目的立项、设计施工、建设管理、竣工投产、生产运营等全过程进行评价。

第二节　建设项目管理

一、建设项目管理的基本含义

建设项目管理有两个基本内涵:一是建设项目管理属管理范畴;二是建设项目管理的对象是项目建设全过程。

(一)管理范畴

建设项目管理,作为项目管理中一个特殊的专业门类,其特点和任务是:运用各种知识在有限的资源约束条件下,实现投资建设项目预期目标过程中的管理理念和方法。建设项目管理是管理理念或管理思想的体现,是先进的管理理念或管理思想与科学的管理技术、方法的有机结合;建设项目管理是贯穿于项目建设全过程的、相互联系的有机整体,是根据客观情况不断调整的动态过程。

(二)管理对象

建设项目管理是以项目建设全过程为对象的管理活动,它涉及影响建设项目实施的四项基本要素:资源、目标、组织、环境。

(1)资源。资源是建设项目实施的基本保证。这里所说的资源,包括对建设项目实施具有现实价值和潜在价值的各种资源,如人才、资金、机器设备、材料、科学技术、信息、市场等。此外,还可以包括相关的知识和经济、专利和技术专长、商标和信誉,以及某种社会联系。建设项目管理,作为一种先进的管理理论和方法,也是一种资源。

(2)目标。任何建设项目都有明确的目标。一般来说,建设项目的目标,主要是指建设项目的功能、范围、规模和标准,建设项目的质量、工期和投资控制目标,建设项目的财务效益、经济效益和社会效益等目标。

(3)组织。在建设项目管理中,组织有两层含义。一是指建设项目实施过程中的组织形式、组织机构和项目团队;二是指建设项目实施过程中的组织行为。项目组织的基本要求是以一定的形式把相关的人与相关的事及相关的资源有机地组织起来,实现投资建设项目的需求,达到建设项目预定的目标。

(4)环境。环境包括内部环境和外部环境,是建设项目取得成功的基础。建设项目管理者,除对建设项目本身、项目组织及其内部环境应有充分的认识和深刻的理解外,对外部环境也要有正确的认识和了解。项目外部环境,主要包括自然环境、政治环境、经济环境、社会文化环境,以及相关的法律、法规等。

二、建设项目管理的特性

(一)多目标性与统一性

建设项目管理目标一般包括成果性目标和约束性目标,它们构成一个多元的建设项目管理的目标体系。成果性目标,通常是指建设项目的功能目标和效益目标,即建设规模、生产能力以及各项技术、经济和社会效益指标。约束性目标,通常是指质量目标、进度目标和投资控制目标等。制定建设项目管理约束性目标,是为高效、优质地实现成果性目标服务。质量、进度、投资三大控制目标之间有一定的相互制约关系。在建设项目管理的实际操作中,通常以质量控制目标为核心,如果进度、投资控制目标与质量目标发生矛盾,应服从质量目标。在进度目标和投资控制目标之间,则应根据建设项目的性质和当时的具体环境,进行工期、成本分析,在建设项目的不同阶段侧重于某一目标管理和控制。如在项目建设前期,应以投资分析和控制为中心;在项目建设后期,大量资金已经投入,工期延误将造成重大损失,此时则应以进度(工期)控制为中心。总之,建设项目管理目标是既相互联系,又相互制约的统一整体,只有协调统一,相互兼顾,才能达到最优结果。

(二)系统性和专业性

建设项目管理的指导原则是贯穿于项目建设全过程的系统工程思想,即把建设项目作为一个完整的有机的整体。按照系统工程理论,对建设项目的工作任务和目标作为一个完整的系统进行统筹规划和控制管理,依据"整体—分解—综合"原理,首先确定建设项目的总体目标,然后按照工作分解结构方法,把投资建设项目的总体目标和责任层层分解并落实到多个责任单元,由责任者分别按照要求,完成预定的任务和目标,最后汇总、综合成最终成果。建设项目管理者的任务之一,就是将总体目标和任务分解并落实到各个责任单元,同时将这些目标、任务和利益不同的独立分散的体系,通过有效的系统管理,形成一个有机的整体。

实践表明,建设项目是一个复杂的系统工程,一般情况下,建设项目很难由一个单位独立完成全部项目建设任务,必须充分利用工程咨询、工程设计、建设施工、设备制造、工程监理等各种专业技术力量,将社会资源进行有机组合,成为一个完整的体系。建设项目系统性和工程建设专业性的特点,使投资建设项目管理组织方式趋于多样化。

(三)随机性和风险性

任何建设项目都有风险,包括自然风险、融资风险、市场风险、工程技术风险、管理风险等。这些风险,有些是可以预见的,有些是不可预见的,特别是自然风险及受社会政治和经济影响的某些风险,是随机变化和难以控制的。如何预测和有效控制风险,是对建设项目管理者的挑战。

三、建设项目管理的基本职能和任务

(一)基本职能

建设项目管理的基本职能主要包括:计划、组织、评价与控制。

(1)项目计划。根据建设项目的总体目标要求,对建设项目范围内的各项工作做出合理安排,确定任务和进度,并对完成任务所需要的资源做出安排。所有建设项目管理都要从制订项目实施计划开始。项目计划工作的质量,往往对建设项目的成败产生决定性影响。

(2)项目组织。主要指项目组织机构的建立、运行和调整。项目组织是实现建设项目计划,完成建设项目目标的基本条件。项目组织的好坏,对建设项目的成败将产生直接影响。

(3)项目评价与控制。项目计划是根据预测对未来的工作任务、进度和目标及所需的资源做出的全面系统的安排,但在组织实施过程中,由于客观条件的变化,往往会发生偏差。项目评价与控制的目的和任务,就是发现偏差、识别偏差,按照系统控制的反馈原理,根据项目实施过程中的实际情况,采取有效控制措施,调整计划,消除或缩小偏差,使建设项目能够按预定的计划目标完成。

(二)基本任务

建设项目管理的基本任务包括:投资决策管理,综合计划管理,融资管理,工程设计管理,工程质量管理与控制,工程进度管理与控制,总投资控制与财务管理,设备、材料采购管理,合同管理,信息管理,工程风险管理,安全生产和环境保护管理,内部审计与监督管理,人力资源管理等。

建设项目管理也可以归纳为计划、组织、协调、控制和指挥五要素。总的目标是协调建设项目任务和各方面的关系,监督和控制项目实施过程,高效地利用有限的资源,在限定的时间内完成建设任务,达到预期目标。

四、建设项目组织管理模式

建设项目管理模式主要有项目法人直接管理、交钥匙工程管理、总承包、委托管理、BOT 管理和代建制等。

(一)建设项目法人直接管理模式

直接管理模式是由建设项目法人或项目投资人组建建设项目管理机构进行管理。基本做法是由建设项目法人委托工程咨询或工程设计单位承担项目前期调研和可行性研究、项目评估工作;在建设项目决策后,通过招标选择工程设计、建筑施工、设备和材料供应以及工程监理单位,分别承担相关工作。由建设项目法人负责项目建设的全过程、全方位管理。为了提高建设项目管理水平,建设项目法人可以公开招聘有建设项目管理经验的、有资格的建设项目管理专家担任建设项目经理及主要部门负责人。

这种管理模式的特点是管理方法比较成熟,各方面对有关的程序比较熟悉,有较丰富的经验,有利于项目业主的管理和控制。

(二)交钥匙(Turn Key)工程管理模式

交钥匙工程管理模式又叫设计—采购—建造(Engineering Procurement Construction, EPC)管理模式,是在建设项目决策后,经过招标,委托一家建设项目总承包商,实行设计—采购—建造总承包。总承包商按照固定总价合同或可调价总价合同方式,对建设项目的质量、进度、造价和安全进行管理与控制,按照合同约定完成项目建设任务。

这种管理模式的特点,一是有利于实现设计、采购、施工各阶段的合理交叉和融合,提高效率,降低成本;二是总承包商要承担项目建设的大部分风险。为了减少建设项目法人和总承包商双方的风险,大型建设项目一般都在基础工程设计已完成、主要技术和主要设备均已确定的情况下,进行总承包,因为这时投资准确度较高,风险较小。在工程总承包模式下,允许总承包商把局部设计,或把部分建筑施工、设备安装工程分包出去,所有分包工作都由总承包商对建设项目法人负责。建设项目法人不与分包商签订合同。

与 EPC 模式相似的还有设计—建造(Engineering Construction,EC)模式,即设计—建造与采购分别承包;设计—采购(Engineering Procurement,EP)模式,即设计—采购与建造(施工)分别承包。

根据建设项目自身的特点,总承包商的组成有三种形式:

(1)以工程设计(咨询)单位为主的总承包。

(2)以建筑施工企业为主的总承包。

(3)以设备供应商为主的总承包。

(三)项目管理总承包(Project Management Contractor,PMC)模式

PMC 管理模式的基本特点是聘请建设项目专业管理公司,对项目建设全过程进行集成管理。在建设项目决策阶段,由项目管理公司代表建设项目法人负责项目建设方案的优化,代表建设项目法人或协助建设项目法人进行融资;在项目实施阶段,建设项目专业管理公司代表建设项目法人对投资建设项目进行全过程管理,直到项目建成投产。在项目建设各阶段 PMC 管理承包商都要向建设项目法人报告工作,建设项目法人则派出少量人员对 PMC 承包商的工作进行监督和检查。

(四)委托管理(Project Management,PM)模式

PM 模式是由项目管理公司按照合同约定的管理范围,代表建设项目法人进行管理。委托管理范围可以包括:在投资建设项目决策阶段编制可行性研究报告和进行项目筹划;在项目实施阶段提供设计管理、设备材料采购和建筑施工管理服务等,代表建设项目法人

对建设项目进行质量、进度、费用控制和合同、信息管理。

（五）建造—运营—移交(Build Operate Transfer，BOT)管理模式

BOT是一种政府以授予项目公司物资经营权的方式,吸收国外资金或民间资金进行基础设施建设的建设项目管理模式。项目公司在取得项目建设和运营特许权后,负责融资和组织建设,项目建成后负责组织运营,并偿还贷款,在特许经营权期满时,将项目资产移交当地政府。BOT模式,对当地政府来说,既是一种项目管理模式,也是一种建设项目融资模式。

（六）代建制

代建制是政府投资的非经营性(公益性)建设项目管理模式。其基本特点是,建设项目决策后,由政府或政府投资主管部门指定专门单位或招标选择专业化建设项目管理单位,负责建设项目管理,项目建成验收后交付使用单位。

建设项目管理模式的选择,在很大程度上取决于建设项目法人自身的管理能力和经验,同时与建设项目合同方式密切相关。

五、建设项目参与方

建设项目的组织实施,需要有与施工相关的人和组织参与,有许多利害相关者或干系人,如图1-1所示。在建设项目诸多利益相关者中,对建设项目可产生深刻影响的直接参与方,除了建设项目法人和政府有关部门外,主要包括:

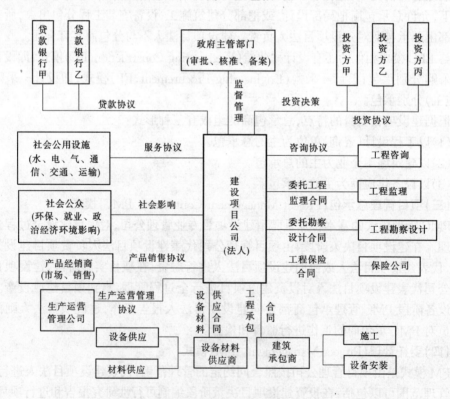

图1-1　建设项目主要利害相关者(干系人)

(1)中介服务机构:工程咨询、招标代理、工程监理等机构。

(2)工程承包方:工程勘测设计单位,设备和材料供应商,建筑施工、设备安装及专业项目管理单位等。

(3)金融服务机构:银行、证券交易机构、保险公司等。

建设项目主要参与方,因其参与的内容不同,参与项目建设的阶段也不同,具体的目的和目标、合同方式、管理模式也有所不同。作为建设项目管理者,重要的任务之一是要了解项目参与方和利益相关者的需求与期望,并通过有效的项目管理,调动各方面的积极因素,化解其消极影响,在实现建设项目目标并获得满意的经济效益的同时,使建设项目参与方获得经济效益,使建设项目的利益相关者的需求和期望得到满足,获得良好的社会效益,达到双赢的目的。

第三节 建设项目管理组织

建设项目管理需要通过一定的组织机构来实施。为使建设项目管理工作启动起来,首先必须进行建设项目管理的组织工作,包括建立建设项目法人治理结构,选择建设项目管理模式,选聘建设项目经理和高层管理人员,设计和组建建设项目管理机构,制定科学、合理的建设项目管理工作制度和规范完善的管理程序等。

一、建立完善的建设项目法人治理结构

建立完善的建设项目法人治理结构是提高建设项目管理水平、提高投资效益的核心。

(一)建设项目法人责任制

建设项目法人责任制包含两层含义:一是指建设项目投资人必须依照一定的法律程序和有关规定组建法人(Juristic Person);二是由建设项目投资人依法组建的法人,对建设项目的筹划、资金筹措、项目建设、生产经营、偿还债务和资产保值增值等负全部责任。

(二)建设项目法人的组织形式

1.法人

根据《中华人民共和国民法通则》,法人是具有民事权利能力和民事行为能力,依法独立享有民事权利和承担民事义务的组织,法人应具备的条件是:依法成立,有必要的财产或者经费,有自己的名称、组织机构和场所,能够独立承担民事责任。

2.建设项目法人

建设项目法人有两种:一种是由建设项目发起人和其他投资人为投资建设项目,依法成立新的具备法人条件、经核准取得法人资格的经济实体;一种是既有法人,包括已经取得法人资格的各种类型的企业、公司和事业单位等,为扩大经营范围、调整经营结构,或为技术改造而进行投资建设,既有法人即为建设项目法人。

新组建的建设项目法人的具体组织形式有:

(1)有限责任公司。我国有限责任公司有两种具体的形式:一是由两个以上50个以下的股东共同出资的项目,应设立合资的有限责任公司;二是国家授权投资机构或者国家授权的部门单独投资的项目,需设立国有独资的有限责任公司。

(2)股份有限公司。股份有限公司的设立有两种形式:一种是发起设立,即由发起人认购公司应发行的全部股份而设立的公司;另一种是募集设立,即由发起人认购公司应发行股份的一部分,其余部分向社会公开募集而设立的公司,即通常所说的上市公司。

(3)其他法人实体。主要指除有限责任公司和股份有限公司以外的其他类型法人单位。

(三)建设项目法人的设立

(1)由建设项目发起人和其他投资人共同投资新的建设项目,在建设项目筹备阶段,同时组建建设项目公司筹备组,具体负责建设项目公司的筹建工作。建设项目公司筹备组应主要由建设项目投资方代表组成。在向政府有关部门提交建设项目有关审批、核准或备案文件时,应同时提出建设项目公司组建方案。

(2)建设项目经政府有关部门批准、核准或备案同意后,应按建设项目法人责任制的有关要求和《公司法》的具体规定,及时办理建设项目公司(法人)注册登记手续,取得企业法人资格并按建设项目公司合同、章程的规定,确保建设项目资本金分期、按时、足额到位。

(3)既有法人(公司)投资建设新项目,如需新设立具有独立法人资格的子公司时,要按上述程序和规定,办理新建项目公司(法人)的注册登记手续。既有法人投资项目,只设分公司(或分厂)时,既有法人即为建设项目法人,由既有法人向分公司(或分厂)派遣专职管理人员,并实行专项考核。

(四)建设项目法人治理结构

依据《公司法》组建的建设项目法人,应按照现代企业制度要求,规范股东会、董事会、监事会和经营管理者的权责,完善建设项目领导人的聘任制。股东会是权力机构,决定董事会和监事会成员;董事会是决策机构,对建设项目重大事项行使决策权,选择经营管理者;监事会是监督机构,对董事会和经营管理者的决策与经营管理活动进行监督;经营管理者行使用人权,在董事会授权范围内行使经营管理权。形成权力机构、决策机构、监督机构、经营管理者之间的制衡机制(见图1-2),确保股东会、董事会、监事会和经营管理者依法行使职权。

非公司制的建设项目法人应根据建设项目的特点建立完善的法人治理结构。

(五)建设项目法人的主要职责

根据建设项目法人责任制的要求,建设项目法人的主要职责是对项目的策划、资金筹措、项目建设的实施、生产运营、债务偿还和资产保值增值实行全过程负责。

按照现代企业制度,董事会是建设项目法人财产权的代表,受资产所有者的委托或授权,对建设项目投资者投入建设项目的资产实行统一管理和使用。董事会是建设项目法定代表机构和决策机构,其主要职责是对项目建设和生产运营中重大事项做出决策。在建设项目的投资建设阶段,其主要任务和目标是:

(1)实现投资者的投资目标和期望。

(2)努力使建设项目投资控制在预定的或可接受的范围之内。

(3)保证项目建成后,建设项目的功能和质量达到设计标准。

为了完成上述任务,达到预期的目标,董事会应选聘有能力、有经验的建设项目经理和高层管理人员,具体组织和实施有效的建设项目管理。

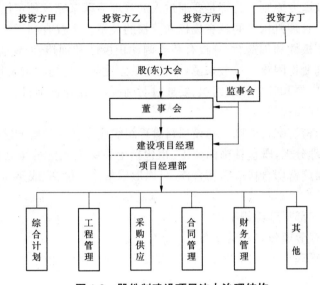

图 1-2　股份制建设项目法人治理结构

二、建设项目管理组织的机构设置

(一)建设项目管理组织机构设置的基本原则

建设项目内部管理组织机构对建设项目的实施起决定性的作用。设置总的原则是对建设项目的实施有利,总的目标是建立一个精干、高效、团结、协作的组织管理机构。具体原则主要包括:

(1)目的性原则。一是要根据建设项目总体目标确定任务,根据具体任务设置管理机构,根据工作岗位的需要定编制、定人员,根据职责制定工作制度和决定授权;二是组织机构设置和相关工作制度的制定都要围绕保证建设项目目标的实现。

(2)适应性原则。一是要符合建设项目管理的相关法律、法规要求,即要与当前实行的建设项目法人责任制、项目资本金制、招标投标制、工程监理制、合同管理制相适应;二是要根据建设项目自身的特点,适应建设项目管理模式和合同方式对建设项目管理的要求;三是要能适应社会政治经济环境对建设项目管理组织的影响。

(3)有效管理层次和有效管理幅度原则。管理层次(Administrative Levels)是指管理组织中从最高层到最低层的层次数;管理幅度(Span of Management)是指管理者能有效领导和管理下级机构的个数或直接领导、监督和管理的人数。由于个人的能力、精力和知识的限制,一般认为,在通常情况下高层领导的有效管理幅度以领导 3～5 个职能部门或直接管理 4～8 人较为合适;基层管理的管理幅度可多达 4～30 人。加大管理幅度,应减少管理层次;缩小管理幅度,可增加管理层次。最好是在有效管理幅度内,减少管理层次,提高管理效率。

(4)责任和权利对等原则。组织设计必须明确各个层次不同岗位的管理职责及相应的管理权限,特别要注意管理职责和管理权限对等,使各个层次的负责人、每个工作人员都有明确的责任范围和管理权限。

(5)集权和分权适度原则。管理是要通过人的管理活动来完成预定任务,达到预期目标。管理组织内部、管理机构之间就有集权和分权的关系。集权有利于统一管理,便于控制,但不利于调动积极性和创造性;分权有利于调动积极性和创造性,使管理变得更加灵活,但会使集中控制变得困难。一般来说,凡是关系建设项目全局的重大问题要实行集中管理,高层决策;对中层和基层管理组织,要通过明确授权,使建设项目组织中的各级领导都有明确的管理责任和权限。

(6)合理分工与密切配合原则。建设项目管理组织应在任务分解的基础上,按合理分工的原则组建。合理分工,既包括横向分工,也包括上下级之间的分工。合理分工,便于明确职责,同时要强调密切合作。密切合作,可以形成整体力量,完成整体任务,达到总体目标。

(二)建设项目内部管理组织机构

1.建设项目内部管理组织机构设置

建设项目内部管理组织机构,按其管理职能,可分为直接管理机构和服务支持管理机构两部分,如图1-3所示。

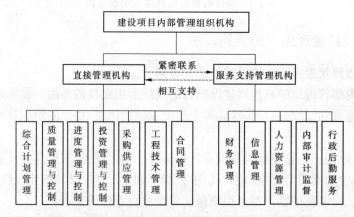

图1-3 建设项目内部管理组织机构职能分工示意图

直接管理机构主要是指在建设项目管理组织体系中,直接负责建设项目实施和完成相关业务的管理部门,如综合计划管理、质量管理与控制、进度管理与控制、投资管理与控制、采购供应管理、工程技术管理、合同管理等。

服务支持管理机构主要是指在建设项目管理组织体系中,为保证建设项目的完成,提供服务和支持的管理部门,如财务管理、信息管理、人力资源管理、内部审计监督以及行政后勤服务等。

在建设项目管理工作中,直接管理机构和服务支持管理机构要相互配合、相互支持,紧密联系、紧密合作,共同完成建设项目管理的各项任务,实现建设项目的总体目标。

2.建设项目内部管理的组织形式

项目管理组织的基本形式分为职能型、项目型和矩阵型三种。在实际项目管理活动中,根据项目的实际情况可有多种复合形式。

(1)职能型组织结构是按常规管理职能划分,设立若干职能部门,如计划部门、技术部门、工程部门和财务部门等。每个职能部门在自己职能范围内独立于其他部门进行工作，职能部门工作人员接受该职能部门经理的领导，如图1-4所示。在这种组织系统中进行项目建设管理时，一般需要各职能部门的共同配合，共同完成。涉及职能部门之间的事务和问题，在职能部门经理层进行协调和解决。

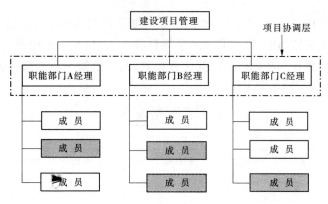

(黑框表示参与子项目活动的成员)

图1-4 职能型组织结构

（2）项目型组织结构是在职能部门之外，根据建设项目的特点和管理需要，按建设项目子项工程组建项目管理团队，如图1-5所示。

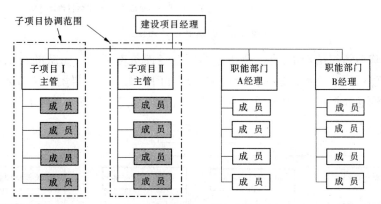

(黑框表示参与子项目活动的成员)

图1-5 项目型组织结构

项目型组织结构的最大优点是可以防止产生多源指令、政出多门。对一个具体的工作人员来说，可以避免接受多个相互矛盾的指令。在这种情况下，子项目主管具有较大的独立性和对子项目管理的绝对权力，并可以直接获得建设项目管理系统中大部分的组织资源;不足之处在于,在建设项目管理系统中,各子项目之间的横向联系少,系统内的专业化、标准化和通用化比较困难。

这种组织结构适合于一个项目法人同时开展多个子项目建设,或一个建设项目分为若干个相对独立的单项工程进行建设。

(3)矩阵型组织结构是介于职能型和项目型组织形式之间的一种项目管理组织形式。在矩阵型组织形式中,参加子项目团队的人员由各职能部门负责人安排,但又不独立于职能部门之外,子项目团队成员之间的沟通不需通过职能部门领导,子项目团队负责人往往直接向项目高层领导人直接汇报工作。矩阵型组织结构较适合于既有建设项目法人从事新项目建设。

矩阵型组织结构,又可分为弱矩阵型结构、强矩阵型结构和平衡式结构。

在弱矩阵型组织结构中,没有明确的子项目负责人,只有一个协调员负责协调工作,项目团队成员的任务与其在职能部门的任务相对,通常由某一职能部门负责人兼任项目协调员协调工作。如图1-6所示。

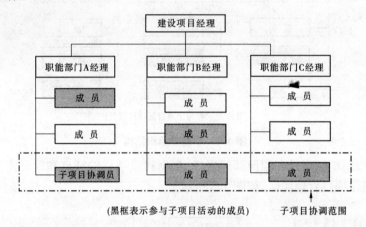

(黑框表示参与子项目活动的成员)　　子项目协调范围

图1-6　弱矩阵型组织结构

在强矩阵型组织结构中,有一个指定的项目经理负责子项目团队的组织管理和子项目运作。子项目团队负责人通常由专门的管理部门指派。子项目团队负责人与建设项目高层领导的沟通和汇报,一般要通过专门的项目管理部门。如图1-7所示。

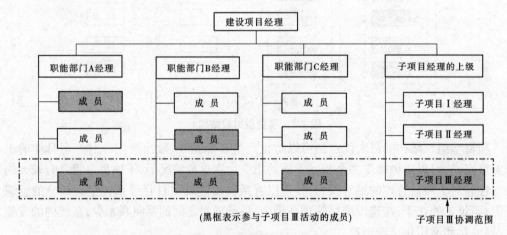

(黑框表示参与子项目Ⅲ活动的成员)　　子项目Ⅲ协调范围

图1-7　强矩阵型组织结构

平衡式组织结构形式的特点是,为加强对子项目管理,在弱矩阵型的基础上,任命一个对子项目管理负责的管理者,赋予子项目团队负责人的职责和权限。如图1-8所示。

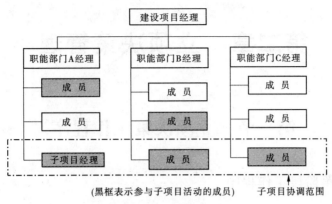

(黑框表示参与子项目活动的成员)　　子项目协调范围

图 1-8　平衡式矩阵组织结构

三、制定科学的工作制度和规范的管理程序

(一)建立分级授权的管理体制

建设项目管理,必须统一指挥调度,同时必须调动各级管理层的能动性。为此,既需要有严密的层次管理组织,又需要建立相应的分级授权管理体制,明确界定在建设项目管理中,董事会、项目经理、部门经理等各级管理层次在处理建设项目管理重要事务时的权限和责任,并做出具体规定,成为大家共同遵守的管理制度。

在建立组织机构时,要明确机构的功能和职责范围,根据其职责范围,确定授予的权限。

(二)制定严密的内部工作制度和规范的管理程序

建设项目,从项目策划、投资决策、工程设计、设备采购和供应、建筑施工、设备安装调试,到生产准备和竣工验收,涉及融资、财务、合同、保险以及土地征用、拆迁、工商、环保、消防和卫生等各个领域。项目建设过程长,相关单位多,接口关系复杂,是一个大型的系统过程。为确保各项工作有条不紊地进行,实现建设项目的总体目标,必须制定严密的可操作的和有效的工作制度,以及规范的管理程序,实行现代的规范管理,做到凡事有章可循,凡事有人负责,凡事有人检查,凡事有据可查。

第二章 立项决策管理

第一节 立项决策工作程序

一、立项决策阶段工作程序

立项阶段是基本建设项目最初的决策阶段。根据国家的长远规划或当前国民经济的发展状况，国家有关主管部门或项目业主提出项目设想，从组织编制项目建议书开始，项目建设正式进入基本建设程序的最初决策阶段。

立项决策阶段，主要工作是编制项目建议书和项目可行性研究报告。在可行性研究的前期，要进行选址和选址勘察，编制选址报告，进行项目总体设计。在进行可行性研究的同时，要委托有关单位进行建设项目环境影响评价，与可行性研究报告一并上报，作为国家主管部门对该项目作最后决策审批的依据。立项决策阶段工作程序见图2-1。

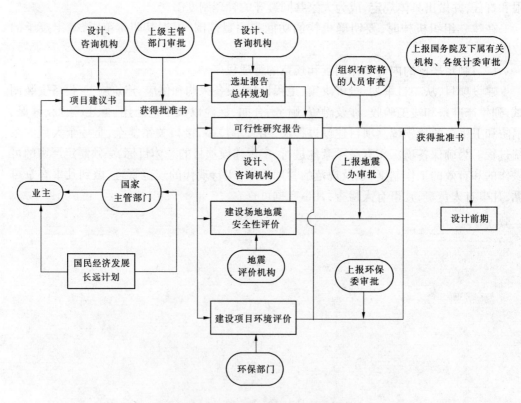

图 2-1　立项决策阶段工作程序

二、建设项目的选址报告和总体规划

获得立项批准书后,就要选择设计或咨询单位、地质勘察单位、环境保护部门进行可行性研究的委托,在可行性研究开展之前,首先要进行选址和建设项目的总体规划。选址报告和总体规划,一般是作为可行性研究的依据,只有当主管部门需要时,才上报审批或备案。它们作为可行性研究的一个内容,或作为附件出现于可行性研究报告中。

第二节　建设项目建议书

项目建议书是为取得项目的建设立项,对拟进行建设项目的初步说明。水文水资源设施工程建设项目建议书,应根据国家有关基本建设的方针政策和水利行业及相关行业的法规编制,并应符合有关技术标准。

水文水资源设施工程项目建议书由项目业主或主管部门委托具有相应资质的水文、水利勘测设计部门编制,对于较为简单的建设项目可自行组织编制。项目业主应承担编制所需费用,并提供必要的外部条件。项目建议书被批准后,将作为年度、中、长期计划和开展可行性研究工作的依据。

一、项目建议书的编制方法

项目建议书的编制大多由项目业主或主管单位委托具有相应资质的水文、水利勘测设计部门编制。通过粗略的考察和分析,提出项目的设想和对投资机会的评估,主要表现为以下几方面。

(一)论证重点

项目建议书应在已批准(审查)的流域(区域)综合利用规划或专业规划的基础上提出建设目标和任务,对项目的建设条件进行调查和必要的勘测工作,并在对资金筹措进行分析后,择优选定建设项目和项目的建设规模、地点及建设时间,论证项目建设的必要性,初步分析项目的可行性和合理性。

(二)宏观信息

项目建议书阶段是工程建设程序的最初阶段,此时尚无法获得有关项目本身的详细技术、工程、经济资料和数据,因此工作依据主要是国家的国民经济和社会发展规划、流域(区域)综合利用规划或专业规划、国家产业政策、技术政策、生产力布局状况、自然资源状况等宏观的信息。

(三)估算误差

项目建议书阶段的分析、测算,对数据精度要求较粗,内容相对简单。在没有条件取得可靠资料时,也可以参考同类项目的有关数据或其他经验数据进行推算,如建筑工程量、投资估算、流动资金估算等一般是按单位生产能力或类似工程进行估算。因此,项目建议书阶段的投资估算误差一般在±20%左右。

(四)最终结论

项目建议书阶段的研究目的是对水文水资源设施建设项目的必要性进行论证,确定项目设想是否合理。项目建议书的最终结论,可以是项目成立的肯定性推荐意见,也可以是项目不成立的否定性意见。

二、项目建议书的主要内容

(一)项目建设的必要性和任务

1. 项目建设的依据

(1)概述项目所在地区的行政区划和自然、地理、资源情况,社会经济现状以及地区国民经济与社会发展规划对水文水资源设施建设的要求。

(2)概述项目所在地区水文水资源设施建设现状及其近期、远期发展规划对项目建设的要求。

(3)说明项目所依据的流域(区域)综合利用规划和各项专业规划。

(4)概述规划阶段方案、比选结果和规划成果审批意见。

2. 项目建设的必要性

(1)阐明项目在区域规划中的地位,论证项目建设的必要性。

流量及泥沙测验设备:应阐明流量及泥沙测验设施所在河段测洪、防洪标准及测洪方案,测验任务和测洪方案,测验任务和测洪方案对现有测验设施施测要求,结合现状及存在问题,论证其必要性。

其他水文水资源测报设施:包括测验河段基础设施,水位观测设施,降水、蒸发、地下水、水质测验设施,供电、给排水、取暖、通信设施,其他设施等。要充分考虑建设地点的水沙特点、地形、河床河岸演变等,确定建设标准。

基础设施:包括生产业务用房及附属设施建设。应阐明现有生产、生活业务及附属工程的建造年代、房屋使用状况和人员状况,结合存在的主要问题,提出建设必要性和规模等。

技术装备:主要包括水位、流量、泥沙、降水、蒸发、地下水、墒情、水温测验设备,测绘设备,通信设备及数据传输设备,其他设备等。结合设备状况,从使用范围、用途、配置标准和测验规范要求等方面说明。

(2)根据建设项目任务要达到的目标,在流域综合利用规划和专业规划的基础上,进行必要的补充调查研究工作,对所在地区功能基本相同的项目方案进行综合分析比较,阐明各方案的优缺点,论述推荐本方案的理由。

3. 项目建设的任务

(1)阐述本项目的建设任务,结合工程条件,考虑本项目在流域和地区规划中的作用,提出项目的建设目标和任务。

(2)对分期建设的项目分别拟定近期和远期的目标与任务。

(二)建设条件

1. 水文

(1)简述工程所在流域(或区域)自然地理、水系及现有水文设施状况。

(2)简述工程地点的气候特性和主要气象要素的统计特征值。

(3)简述工程地点及其附近河段的堤防情况、河势走向及特点。

(4)简述工程地点泥沙的主要来源,统计多年平均输沙量和特征值。

(5)其他水文要素:①简述工程地点河流的水质状况及其特征。②有冰凌危害的河段,简述本河段冰凌特性。

2.地质

(1)简述工程已完成的地质勘察工作项目与工作量。

(2)简述工程区域地形地貌、地质构造、构造稳定性。

(3)对各工程比较方案的工程地质环境及主要工程地质问题,提出初步评价意见。

3.其他外部条件

(1)分析项目所在地区和附近有关地区的生态、社会等外部条件及其与本项目的相互影响。

(2)说明有关部门和地区对项目建设的意见、协作关系以及有关协议,收集有关报告、文件。

(三)建设规模

(1)对规划阶段拟定的工程规模进行复核。

(2)在分析单项任务的工程规模时,应分析对其他综合利用任务的影响。必要时,应为以后的综合利用留有余地。

(3)说明有关分期建设的要求及其原因。

(4)通过初步技术经济分析,初选工程规模指标。

(四)建设内容

1.水文测站

(1)测验河段基础设施。包括断面标志、水准点、断面桩界、保护标志牌、测验码头、观测道路、护岸、护坡等。

(2)水位观测设施。

(3)流量及泥沙测验设施。根据测站特性和测验任务分别选用缆道、测船、吊船、测桥、浮标、堰槽等方式。

(4)降水、蒸发、地下水、水质测验设施及水文实验站设施。

(5)生产生活用房及附属配套工程建设。

(6)供电、给排水、取暖、通信设施建设。

(7)其他设施建设。

(8)技术装备。结合仪器设备使用范围、用途、配置标准和测验规范要求等,确定设备购置数量和技术指标。

2.水文勘测队

按规范要求进行房屋及附属配套工程项目分析,确定生产生活用房及附属配套工程和仪器设备的内容与数量。

3.水文数据中心

按规范要求进行房屋及附属配套工程项目分析,确定生产生活用房及附属配套工程和仪器设备的内容与数量。

4.水环境监测中心

按规范要求进行房屋及附属配套工程项目分析,确定生产生活用房及附属配套工程和仪器设备的内容与数量。

5.水情(分)中心

按规范要求进行房屋及附属配套工程项目分析,确定生产生活用房及附属配套工程和仪器设备的内容与数量。

6.省(自治区、直辖市)、流域机动测验队

按规范要求进行房屋及附属配套工程项目分析,确定生产生活用房及附属配套工程和仪器设备的内容与数量。

7.水库河道测绘队

按规范要求进行房屋及附属配套工程项目分析,确定生产生活用房及附属配套工程和仪器设备的内容与数量。

(五)工程施工

1.施工条件

(1)简述工程区水文气象、对外交通、通信及施工场地条件。

(2)初步提出施工期间供水、供电等要求。

(3)简述主要外购建筑材料的来源及水、电、燃料等供应条件和价格。

2.主体工程施工

初拟主体工程的主要施工方法及主要施工设备的准备方案。

3.施工总布置

(1)初拟对外交通运输方案。

(2)初拟施工总布置方案。

4.施工总进度

(1)简述施工进度安排原则,初拟施工总进度及控制性工期。

(2)简述分期实施意见。

(六)工程管理

(1)初步提出项目管理机构的设置与隶属关系以及资产权属关系。按项目法人制的要求,提出建设项目的主管单位、建设单位、设计单位、监理单位。

(2)测算维持项目正常运行所需的运行维护费用及其负担原则、来源和保障措施。按《水文设施设备管理规定》、《水情自动测报规范》等有关规定测算运行维护费;按《水利产业政策》的相关规定确定负担原则;按《水利事业费管理办法》确定费用来源和保障措施。

(七)投资估算及资金筹措

1.投资估算

(1)简述投资估算的编制原则、依据及采用的价格水平年。初拟主要基础单价及主要工程单价。

(2)提出投资主要指标,包括主要单项工程投资、工程静态总投资及动态总投资。估算分年度投资。

(3)对主体建筑工程应进行单价分析,按工程量估算投资。其他建筑工程、临时工程

投资,可按类比法估算。交通、房屋、设备及安装工程投资,可采用扩大指标估算。其他费用可根据不同工程类别、不同工程规模逐项分别估算或综合估算。

2.资金筹措方案

(1)提出项目投资主体的组成以及对投资承诺的初步意见和资金来源的方案。

(2)利用国内外贷款的项目,应初拟资本金和贷款额度及来源,贷款年利率以及借款偿还措施。对利用外资的项目,还应说明外资用途及汇率。

(八)效益评价

(1)效益评价依据。说明效益评价的基本依据。

(2)效益评价。概述项目的主要效益,对不能量化的效益进行初步分析。

(3)综合评价。综述项目的社会效益、经济效益等,提出项目综合评价结论。

(九)结论与建议

(1)综述工程项目隶属关系、建设的必要性、任务、规模、建设条件、工程总布置、占地处理、建设工期、投资估算和效益评估等主要成果。

(2)简述项目建设的主要问题。

(3)提出综合评价结论。

(4)提出今后工作的建议。

三、项目建议书的审查

接到所委托咨询单位编制的项目建议书后,项目业主在正式报送有关主管部门审批前,应首先对项目建议书进行审查。审查时可聘请有关专家共同参与。对项目建议书审查的重点应放在以下几方面:

(1)项目是否符合国家的建设方针和长期规划。

(2)项目建设地点是否合适,有无不合理的布局或重复建设。

(3)对遗漏、论证不足的问题,要求咨询单位补充修改。

此外,如果项目成立,报送主管部门审批前,还应提出需补充办理的文件手续。

四、项目建议书的报批

项目建议书完成后,要向上级有关主管部门申请立项报批。按照国家颁布的有关文件规定,审批权限按报建项目的级别来划分。

(一)大中型及限额以上的工程项目

大中型及限额以上固定资产投资项目建议书,需经过行业归口主管部门和国家发改委两级批准后才能立项,见表2-1。

表2-1 大中型及限额以上项目建议书的审批

审批程序	审批单位	审批内容	备注
初审	行业归口主管部门	资金来源;建设布局;资源合理利用;经济合理性;技术政策	
终审	国家发改委	建设总规模;生产力总布局;资源优化配置;资金供应可能性;外部协作条件	投资额超过2亿元的项目,还需报国务院审批

(二)小型或限额以下的工程项目

小型或限额以下的工程项目建议书,按隶属关系,由各主管部门或省、自治区、直辖市的发改委审批。

第三节 建设项目的可行性研究

水文水资源设施工程建设项目建议书通过主管部门批准后,可组织进行该项目的可行性研究工作。

可行性研究是项目前期工作的最重要内容,它从项目建设和生产运营的全过程考察分析项目的可行性。目的是回答项目是否有必要建设,是否可能建设和如何进行建设的问题,其结论为投资者的最终决策提供直接的依据。

一、可行性研究阶段工作程序

项目的可行性研究,一般由项目业主或主管部门委托具有相应资质的水利、水文勘测设计部门编制,工作程序如图 2-2 所示。

图 2-2 可行性研究阶段项目业主工作程序

二、可行性研究的委托合同

项目业主与受委托单位签订的合同一般应包括以下主要内容:

(1)进行项目可行性研究的依据。

(2)研究的范围和内容。

(3)研究工作的进度和质量。

(4)研究费用的支付方式。

(5)合同双方的责任。

(6)协作方式。

(7)违约处理的方法。

(8)其他有关内容。

三、可行性研究的依据及要求

水文水资源设施工程建设项目可行性研究报告应根据国家的方针政策、已批准的江河流域(河段)综合规划或水文水资源专业规划的要求,遵循有关规程和规范,对工程的建设条件进行调查和必要的勘测,在可靠资料的基础上,进行方案比较,从技术、经济、社会、环境等方面进行全面分析论证。

水文水资源设施工程建设项目可行性研究报告的内容和深度应符合下列要求:

(1)论证工程建设的必要性,确定工程建设的目标和任务,基本确定工程规模。

(2)初步确定水文水资源工程中水文缆道、供电、通信、基础设施(生产生活用房及附属配套工程)等主要基础设施的形式,初选工程的总体布置。

(3)评价工程建设对环境的影响。

(4)提出主要工程量,估算工程投资。

(5)明确工程的社会效益和经济效益。

(6)提出综合评价和结论。

四、可行性研究报告的主要内容

(一)综合说明

(1)简述工程地址位置和所在河流(河段)的规划成果及工程可行性研究报告编制的依据与过程。

(2)简述工程的自然条件,水文主要成果,区域地质、工程地质的主要结论。

(3)简述工程建设的任务和作用,工程规模及综合利用效益,环境影响评价。

(4)简述工程基本环境、结构、建筑形式和工程布置,工程控制进度,主要工程量和材料、运行管理人员、投资估算等。

(二)水文、气象和地质

(1)流域情况。说明工程所在流域的自然地理概况,河道特征等。

(2)气象。说明流域及邻近地区气象特性。

(3)水文特征值。

(4)概述区域地质、工程地质条件。

(三)工程任务和规模

(1)概述工程所在河流的规划成果及审查主要结论。

(2)概述与工程有关地区的社会经济现状及远近期发展规划。

(3)概述工程在所在河流规划或专业规划中的地位和作用。论证建设本工程的必要性和迫切性。

(4)通过分析,方案比选,基本确定工程规模。

(四)建设内容

1.水文测站

(1)测验河段基础设施。

(2)水位观测设施。

(3)流量及泥沙测验设施。结合水文缆道、测船等重点测验设施的现状及存在问题,分析项目的必要性和可行性。

(4)降水、蒸发、地下水、水质测验设施及水文实验站设施。

(5)生产生活用房及附属配套工程建设。根据有关文件规定,结合专业和生产办公需要、现有生产业务用房面积及人员数量现状,初步确定建筑面积和建设规模。

(6)供电、给排水、取暖、通信设施建设。

(7)其他设施建设。

(8)技术装备。结合仪器设备使用范围、用途、配置标准和测验规范要求等,确定设备购置数量和技术指标。

2. 水文勘测队

按规范要求进行房屋及附属配套工程项目分析,确定生产生活用房及附属配套工程和仪器设备的内容与数量。

3. 水文数据中心

按规范要求进行房屋及附属配套工程项目分析,确定生产生活用房及附属配套工程和仪器设备的内容与数量。

4. 水环境监测中心

按规范要求进行房屋及附属配套工程项目分析,确定生产生活用房及附属配套工程和仪器设备的内容与数量。

5. 水情(分)中心

按规范要求进行房屋及附属配套工程项目分析,确定生产生活用房及附属配套工程和仪器设备的内容与数量。

6. 省(自治区、直辖市)、流域机动测验队

按规范要求进行房屋及附属配套工程项目分析,确定生产生活用房及附属配套工程和仪器设备的内容与数量。

7. 水库河道测绘队

按规范要求进行房屋及附属配套工程项目分析,确定生产生活用房及附属配套工程和仪器设备的内容与数量。

(五)工程管理

(1)管理机构。提出工程管理机构设置的初步方案,确定管理机构的人员编制和生产、生活用房的规模。

(2)管理办法。提出工程运行管理办法、措施等。

(六)施工组织设计

(1)施工条件。概述对外交通(铁路、公路、水运)状况,简述工程布置特点、施工场地条件、水文、气象等基本情况。

(2)建筑材料。调查分析天然和人工主要建筑材料情况。

(3)主体工程施工。初选主体工程的施工方法、施工程序及施工进度等。

(4)施工交通及施工总布置。基本选定对外交通方案和场内交通布置,研究主要施工、生活设施的规模和布置,提出临建工程量及施工占地界线。

(5)施工总进度。提出施工总进度,并说明安排原则;提出各阶段控制进度,论述各阶段施工进度控制性进度。

(七)环境影响评价

(1)环境状况。简述工程影响地区的自然环境和社会环境状况,并说明项目所在地区的环境质量、环境功能等环境特征。

(2)环境影响预测评价。简述工程对自然和社会环境有关因子的预测及评价。

(3)综合评价与结论。分析说明工程对环境产生的主要有利影响和不利影响,提出综合评价结论及减免不利影响的对策和措施,从环境角度论证工程建设的可行性。

(八)投资估算及资金筹措

1.编制说明

(1)工程概述,主要包括:河系、建设地点、工程规模、工程效益、工程布置形式、主要建筑物工程量、主要材料用量、施工总工期。

(2)投资主要指标,工程总投资和静态总投资。

(3)编制原则和依据,工程投资估算按估算年的价格水平编制。

2.投资估算表

投资估算按照建筑工程、仪器设备购置及安装、其他费用、基本预备费四个部分编列。第一部分建筑工程,包括审查业务用房、雨量观测基础设施、流量泥沙测验渡河设施、供电设施、通信设施、观测道路及临时工程等;第二部分仪器设备购置及安装,包括雨量计、水位计、流量测验仪器设备、泥沙采集处理设备、水化学分析设备以及报汛通信设备费等;第三部分其他费用,包括建设管理费、生产准备费、科研勘测设计费、建设及施工场地征用费、其他等;第四部分预备费,费用构成为基本预备费、价差预备费。

投资估算表由以下几个表组成:①投资总估算表;②建筑工程估算表;③仪器设备估算表;④其他费用估算表;⑤分年度投资估算表;⑥主要工程单价汇总表。

3.资金筹措方案

(1)提出项目投资主体的组成以及对投资承诺的意见和资金来源的方案。

(2)利用国外贷款的项目,应初拟资本金和贷款额度及来源,贷款年利率以及借款偿还措施。对利用外资的项目,还应说明外资的用途及汇率。

(九)经济评价

(1)概述工程项目的任务、规模、主要效益、建设计划等。

(2)效益评价。对项目的社会效益和经济效益进行评价。

五、对可行性研究报告的审查

咨询单位完成可行性研究工作后报送的可行性研究报告,是项目业主做出投资决策的依据。因此,要对该报告进行详细的审查和评价。审核其内容是否确实、完整,分析和计算是否正确,最终确定投资机会的选择是否合理、可行。

(一)对可行性研究报告的评价内容

1.建设项目的必要性

(1)从国民经济和社会发展等宏观角度审查建设项目是否符合国家的产业政策、行业规划和地区规划,是否符合经济和社会发展需要。

(2)分析项目规模是否经济合理。

2.建设条件与生产条件

(1)项目所需资金能否落实,资金来源是否符合国家有关政策规定。

(2)分析选址是否合理,总体布置方案是否符合国土规划、城市规划、土地管理和文物保护的要求与规定。

(3)项目建设过程中和建成后供电、供水、供热、交通运输等要求能否落实。

(4)项目是否符合保护生态环境的要求。

3. 工艺、技术、设备

(1)分析项目采用的技术、设备是否符合水文水资源技术发展政策和技术装备政策，是否可行、先进、适用、可靠，是否有利于资源的综合利用，有利于提高质量、降低消耗、提高劳动生产率。

(2)项目所采用的新工艺、新技术、新设备是否安全可靠。

(3)引进设备有无必要，是否符合国情和国家有关规定。

4. 建筑工程的方案和标准

(1)建筑工程有无不同方案的比选，分析推荐的方案是否经济、合理。

(2)审核工程地质、水文、气象、地震等自然条件对工程的影响和采取的治理措施。

(3)建筑工程采用的标准是否符合国家的有关规定，是否贯彻了勤俭节约的方针。

5. 基础经济数据的测算

(1)分析投资估算的依据是否符合国家或地区的有关规定，工程内容和费用是否齐全，有无高估冒算、任意提高标准、扩大规模，以及有无漏项、少算、压低造价等情况。

(2)资金筹措方式是否可行，投资计划安排是否得当。

(3)报告中的各项成本费用计算是否正确，是否符合国家有关成本管理的标准和规定。

(4)分析报告中确定的项目建设期、投产期、生产期等时间安排是否切实可行。

6. 财务效益

从项目本身出发，结合国家现行财税制度和现行价格，对项目的投入费用、产出效益、偿还贷款能力，以及外汇效益等财务状况，来判别项目财务上的可行性。

7. 国民经济效益

国民经济效益评价是从国家、社会的角度，考虑项目需要国家付出的代价和给国民经济带来的效益。一般审查时用影子价格、影子工资、影子汇率和社会折现率等，分析项目给国民经济带来的净效益，以判别项目经济上的合理性。评价指标主要是审查计算的经济内部收益率、经济净现值、投资效益率等。

8. 社会效益

社会效益包括生态平衡、社会进步等方面。应根据项目的具体情况，分析和审查可能产生的主要社会效益。

9. 不确定性分析

审查不确定性分析一般应对报告中的盈亏平衡分析、敏感性分析进行鉴定，以确定项目在财务上、经济上的可靠性和抗风险能力。

项目业主对以上各方面进行审核后，对项目的投资机会进一步做出总的评价，进而做出投资决策。若认为推荐方案成立时，可就审查中所发现的问题，要求咨询单位对可行性研究报告进行修改、补充、完善，并提出结论性的意见，上报有关主管部门批准。

(二)对建设项目可行性研究报告的审查

可行性研究报告的审查重点主要表现在重点审查国民经济和社会效益评价，财务评价不作为主要内容。

水文水资源设施工程建设项目以国民经济和社会效益评价为主，作为一个系统进行总体评价,计算总效益和总费用。水文水资源设施工程建设项目的总费用包括工程项目建设费用和运行费用两部分。

(三)项目建议书与可行性研究的区别

项目建议书和可行性研究是工程项目建设前期两个阶段的工作内容,尽管在报告中所涉及内容大体相同,但由于工作目的不同,因而在研究重点、评价方法等方面有较大区别(见表2-2)。

表 2-2　项目建议书与可行性研究的区别

内容	项目建议书	可行性研究
目的和作用	(1)国家批准立项的依据; (2)批准立项的项目,才能列入国家长远规划,组织可行性研究; (3)利用外资或有引进内容的项目,批准立项后才可以进行对外的初步询价	(1)项目决策的依据; (2)批准决策的项目,才能列入国家近期发展规划,开展初步设计工作; (3)利用外资或有引进内容的项目,批准决策后可以进行对外正式谈判,签订合同
研究论证侧重点	(1)从宏观角度分析项目建设是否符合国家、地区和行业的发展规划,是否符合产业政策要求,布局是否合理可行; (2)在进行初步调查基础上,对项目市场需求进行分析,进而对项目建设规模和内容提出初步意见; (3)用类比分析方法初步估算项目建设投资和提出资金筹措的设想方案; (4)对项目的社会效益和经济效益进行初步分析	(1)具体分析项目建设是否符合国家、地区和行业的发展规划,是否符合产业政策要求,布局是否合理; (2)进行全面分析调查,对需求进行预测,通过方案和建设规模的技术经济比较,确定项目的建设规模和产品的具体方案; (3)依据初步选择的项目总体布置图,估算项目的工程量,进而估算总投资,对资金来源和筹措方式、贷款偿还方式等进行系统的分析和评价; (4)通过对项目的国民经济效益、社会效益、财务效益和不确定性进行分析,做出较系统的评价和测算
投资估算和资金筹措	(1)通过与最近几年类似项目的比较分析,对项目总投资进行类比动态估算,估算误差在20%左右; (2)对资金筹措总量做出动态估算	(1)对项目建设和生产过程中各种可能涉及的费用合理性进行考虑,并进行动态投资估算,估算误差应在10%以内; (2)对资金筹措应有具体方案,偿还方式有具体措施,利用外资时,对外汇部分应有平衡分析和措施
经济评价	(1)财务效益只审查投资利税率、投资利润率和投资回收期三项指标,且以静态估算为主; (2)主要对生产成本、产量、价格进行盈亏平衡分析,并对项目经济效益和抗风险能力做出初步估价	(1)对项目的社会效益和经济效益进行全面的测算和评价; (2)财务效益评价应包括投资利税率、投资利润率、投资回收期、贷款偿还期、内部收益率或净现值等五项指标,应以动态分析为主; (3)应对影响项目经济效益的投资、产品成本、物价的变动、产量的变化、建设工程的变更进行不确定性分析,提出最敏感因素及其承受程度的变化值,进而提出预防或改善措施,还要进行盈亏平衡分析,以判定项目的经济效益、抗风险能力和可靠性

内容	项目建议书	可行性研究
方案比较	(1)只对影响项目立项的建设地点、规模、重大的技术方案、资金筹措方式等进行技术经济比较； (2)比较方法可用类比指标计算最小费用法	(1)对影响项目决策的重大方案和重要的局部方案均要进行技术经济比较和优化论证,如选址、建设规模、技术方案等； (2)比较方法一般采用净现值或差额内部收益率法
审查结果	通过审查判断项目是否很有必要,以决定拟建项目是否可行	通过审查确定采用哪种方案实施项目建设更为有利,进而确定设计任务书的内容

六、可行性研究报告的报批

按照国家的有关规定,可行性研究报告的审批权限划分为以下几层。

(1)所有大中型项目的可行性研究报告,按照项目隶属关系由项目行业主管部门或省、自治区、直辖市和计划单列市审查同意后,报国家发改委审批。国家发改委委托中国国际工程咨询公司等有资格的咨询公司对可行性研究报告进行评估,提出评估报告后,再由国家发改委审批。凡投资在 2 亿元以上的项目,由国家发改委审核后报国务院审批。

(2)小型项目的可行性研究报告,按照项目隶属关系,分别由主管部门和省、自治区、直辖市、计划单列市发改委审批。

可行性研究报告经过正式批准后,任何部门、单位或个人都不能擅自变更。确有正当理由需要变更时,需将修改的建设规模、项目地址、技术方案、主要协作条件、突破原定投资控制数、经济效益的提高或降低等内容报请原审批单位同意,并正式办理变更手续。

第四节　建设项目的环境影响评价

环境是指大气、水、土地、矿藏、森林、草原、野生动物、野生植物、水生生物、名胜古迹、风景游览区、温泉、疗养区、自然保护区、生活居住区等(见《中华人民共和国环境保护法》,1989 年 12 月 26 日)。

环境影响是指人类活动对环境造成的污染和破坏。建设项目对环境造成的影响,一是指过量的废物排放,使自然环境污染;二是指不合理的资源开发,使生态平衡破坏。

一、建设项目环境影响评价管理

国家根据建设项目对环境的影响程度,对建设项目的环境影响评价实行分类管理。建设单位应当按照下列规定组织编制环境影响报告书、环境影响报告表或者填报环境影响登记表(以下统称环境影响评价文件):

(1)可能造成重大环境影响的,应当编制环境影响报告书,对产生的环境影响进行全面评价；

（2）可能造成轻度环境影响的，应当编制环境影响报告表，对产生的环境影响进行分析或者专项评价；

（3）对环境影响很小、不需要进行环境影响评价的，应当填报环境影响登记表。

建设项目的环境影响评价分类管理名录，由国务院环境保护行政主管部门制定并公布。

建设项目的环境影响报告书应当包括下列内容：①建设项目概况；②建设项目周围环境现状；③建设项目对环境可能造成影响的分析、预测和评估；④建设项目环境保护措施及其技术、经济论证；⑤建设项目对环境影响的经济损益分析；⑥对建设项目实施环境监测的建议；⑦环境影响评价的结论。

建设污染环境的项目，必须遵守国家有关建设项目环境保护管理的规定。建设项目的环境影响报告书，必须对建设项目产生的污染和对环境的影响做出评价，拟定防治措施，经项目主管部门预审并依照规定的程序报环境保护行政主管部门批准。环境影响报告书经批准后，计划部门方可批准建设项目设计任务书。

二、建设项目环境影响评价制度

建设项目的环境影响评价作为一项整体建设项目的规划，按照建设项目进行环境影响评价，不进行规划的环境影响评价。已经进行了环境影响评价的规划所包含的具体建设项目，其环境影响评价内容建设单位可以简化。

接受委托为建设项目环境影响评价提供技术服务的机构，应当经国务院环境保护行政主管部门考核审查合格后，颁发资质证书，按照资质证书规定的等级和评价范围，从事环境影响评价服务，并对评价结论负责。

为建设项目环境影响评价提供技术服务的机构，不得与负责审批建设项目环境影响评价文件的环境保护行政主管部门或者其他有关审批部门存在任何利益关系。

任何单位和个人不得为建设单位指定对其建设项目进行环境影响评价的机构。

建设单位报批的环境影响报告书应当附具对有关单位、专家和公众的意见采纳或者不采纳的说明。建设项目的环境影响评价文件，由建设单位按照国务院的规定报有审批权的环境保护行政主管部门审批；建设项目有行业主管部门的，其环境影响报告书或者环境影响报告表应当经行业主管部门预审后，报有审批权的环境保护行政主管部门审批。审批部门应当自收到环境影响报告书之日起60日内，收到环境影响报告表之日起30日内，收到环境影响登记表之日起15日内，分别做出审批决定并书面通知建设单位。

建设项目的环境影响评价文件经批准后，建设项目的性质、规模、地点，采用的生产工艺或者防治污染、防止生态破坏的措施发生重大变动的，建设单位应当重新报批建设项目的环境影响评价文件。建设项目的环境影响评价文件自批准之日起超过5年，方决定该项目开工建设的，其环境影响评价文件应当报原审批部门重新审核；原审批部门应当自收到建设项目环境影响评价文件之日起10日内，将审核意见书面通知建设单位。

建设项目的环境影响评价文件未经法律规定的审批部门审查或者审查后未予批准的，该项目审批部门不得批准其建设，建设单位不得开工建设。

建设项目建设过程中，建设单位应当同时实施环境影响报告书、环境影响报告表以及环境影响评价文件审批部门审批意见中提出的环境保护对策措施。

在项目建设、运行过程中产生不符合经审批的环境影响评价文件的情形的,建设单位应当组织环境影响的后评价,采取改进措施,并报原环境影响评价文件审批部门和建设项目审批部门备案;原环境影响评价文件审批部门也可以责成建设单位进行环境影响的后评价,采取改进措施。

第三章　设计管理

第一节　工程设计

一、工程设计的意义

通常所说的建设工程设计，是根据项目建设单位提出的建设项目的目标和要求，对建设项目所需的技术、经济、资源、环境等条件，进行综合分析、论证，编制工程设计文件的活动。

建设工程设计是贯穿从项目立项研究、初步可行性研究和可行性研究开始，直至项目竣工验收、投产总结的全过程。

建设工程设计是工程建设的灵魂，是建设项目投资人投资目标的体现。建设工程设计的技术水平和设计质量，决定了建设项目的功能、财务效益和经济效益、社会效益和环境效益。建设工程设计对工程建设的质量、进度和投资控制，对建设项目的成败起着关键作用。

二、工程设计阶段划分、设计管理程序和主要工作内容

建设项目工程设计分为方案设计、初步设计和施工图设计三个阶段。某些技术要求简单的工程，经有关主管部门同意，且合同中有约定不做初步设计的，可在方案设计审批后直接进入施工图设计。

建设项目工程设计文件的编制一般在建设项目总体方案确定之后，分为初步设计、施工图设计两个阶段。某些涉及面广的大型建设项目应先做总体设计；对于技术复杂或缺乏设计经验的重大项目，经主管部门同意和建设项目业主确定，可在施工图设计之前增加技术设计；技术简单的小型项目在方案设计确定后，即可以开展施工图设计。

各阶段设计文件编制深度应符合以下要求：

(1)方案设计文件应满足初步设计文件和控制概算的要求。

(2)初步设计文件应满足施工招标文件的编制和主要设备材料订货及编制施工图文件的需要。

(3)施工图设计文件应满足设备材料采购、非标设备制作和主体工程施工的需要，并注明合理的使用年限。

现行工程设计阶段划分和工作深度要求，往往不能满足某些大型复杂工程建设管理的实际需要。不少大型建设项目除在项目规划和可行性研究阶段对建设方案进行深入的分析论证外，在项目决策后还将工程设计分为初步设计、技术设计、招标设计和施工图设计等几个阶段。

第二节　水文水资源设施工程设计

一、水文水资源设施工程设计的阶段划分

水文水资源设施工程建设项目的项目建议书审批后,主管部门就可以成立建设单位负责筹建工作,委托设计单位进行勘测设计。按照水文水资源设施工程建设程序,对于大中型建设项目,一般采用两个阶段设计,即初步设计与施工详图设计。重大工程项目或新建、特殊工程项目可按三阶段设计,即初步设计、技术设计和施工详图设计。

(一)初步设计

初步设计的主要任务在于进一步论证建设项目的技术可行性和经济合理性,并解决工程建设中重要的技术和经济问题。具体来说,就是通过不同方案的比较,论证工程及主要建筑物的等级标准、选址、工程总体布置、主要建筑物形式和控制尺寸、主体工程施工方法、施工总进度和施工总布置等,进而进行选定方案的设计,并进行施工组织设计和编制设计概算。

初步设计的主要内容和深度应达到如下要求:

(1)复核工程任务及具体要求,确定工程规模。

(2)确定水文水资源设施工程中水文缆道、供电、通讯、生产业务用房等主要基础设施的结构形式,确定工程总体布置。

(3)确定工程量,编制初步设计概算。

初步设计由项目业主或主管部门委托具有相应资质的水利、水文勘测设计部门编制。项目业主应承担编制所需的费用,并提供必要的外部条件。

(二)施工详图设计

施工详图设计是按照初步设计所确定的设计原则、结构方案和控制尺寸,根据建筑安装工作的需要,分期分批地制定出工程施工详图,提供给施工单位,据以施工。

设计文件编好后,必须按规定进行审查与批准。初步设计与总概算应提交主管部门审批。施工详图设计是设计方案的进一步具体细化,由设计单位负责,在交付施工时,需经建设单位监理工程师审查签署。

二、水文水资源设施工程设计管理内容

(一)工程设计主要工作内容

建设单位委托具有相应资质的水利、水文勘测设计部门的主要工作内容如图 3-1 所示。

(1)项目决策阶段。工程(咨询)设计单位应完成项目建议书编制、选址报告、总体规划和工程可行性研究报告,为项目投资决策提供依据。

(2)建设项目工程设计阶段。工程设计单位应完成方案设计(含投资估算)、初步设计(含投资概算)、技术设计(含投资修正概算)和施工图设计(含投资预算)。

(3)建设项目工程施工阶段。建设单位组织设计单位对施工承包商进行设计技术交

底,组织设计单位配合工程施工,修改设计并提出设计变更和预算变更,组织设计单位参加竣工验收和试运转。

(4)建设项目生产运营阶段。设计单位编制设计总结,进行设计后评价,提出供建设项目业主改善生产运营的意见。

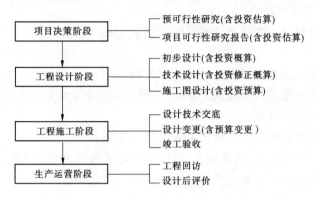

图 3-1　建设项目工程设计进程图

(二)工程设计管理主要内容

(1)工程设计承包单位管理。主要包括提供工程设计所需基础资料,协调各设计单位的工作,控制建设项目投资、进度和总体质量水平,监督设计进度和审查设计内容。

(2)工程设计所需基础资料管理。基础资料通常是由不同专业的科研、勘察、评价、咨询单位完成,建设项目业主应对提供基础资料的相关单位进行管理,按时提供相关基础资料。

(3)落实外部条件协作单位的供应协定、技术条件等,并将取得的文件交给设计单位。

(4)审定工程设计文件并按有关规定上报。

三、水文水资源设施工程设计主要内容

(一)综述

(1)项目由来。说明项目的背景和依据。项目建议书或可行性研究报告的主要结论、上级主管部门的审批意见等。

(2)概况。说明流域或区域自然地理概况,如气象、水文、地质、水质、冰情、潮汐、雷电等情况。

(3)建设的必要性与可行性。说明水文水资源的现状和存在问题,在此基础上进行必要性与可行性的论证。

(4)建设任务与规模。结合水文水资源工程的现状和存在问题,说明初步设计的建设规模和主要设计等。

(5)设施设备设计。说明施工条件、主体工程施工、交通运输、施工占地、施　　与进度、主要材料供应等。

(6)施工组织设计。水文测站、测站以上水文机构[包括水文数据中心,勘测队,水环境监测中心,水情(分)中心,省(自治区、直辖市)、流域机动测验队,水库河道测绘队等]设

施设备初步设计。

(7)工程管理。说明项目的建设管理机构,管理内容、原则和依据,运行管理等。

(8)投资概算。说明投资概算的编制原则和依据,费用构成、总投资和资金筹措等。

(9)效益评价。进行必要的社会经济效益和水文基础设施建设效益评价。

(二)概况

(1)流域或区域概况。简述流域或区域自然地理概况、河流特性、上下游水利工程和水土保持情况。

(2)气象。概述流域和项目所在区域的气象特征。

(3)水文。简述流域或区域内水文特性,说明流域内水文测站分布、测验方式、观测项目、测验情况及水文特征值等。

(4)水资源。简述流域或区域内水资源监测情况等。

(5)地质。概述地形地貌、地质构造、物理地质现象和水文地质条件。

(6)其他。需要说明的流域或区域的冰情、潮汐、雷电等情况。

(三)建设任务与规模

1.现状

(1)水文测站建设(改造)工程:①说明水文测站的人员编制及人员现状;②简要说明水文测站的级别和测洪方案;③简要说明基础设施现状与存在问题;④简要说明技术装备现状与存在问题。

(2)测站以上水文机构基础设施建设及技术装备工程:①说明人员编制及人员现状;②简要说明生产任务和管理模式;③简要说明生产业务用房、附属配套设施等工程现状与存在问题;④简要说明技术装备现状与存在问题。

2.建设规模

(1)水文测站建设(改造)工程:①概述水文测站集水面积、所处地理位置以及作用,划分水文测站级(类)别;②确定水文测站的防洪、测洪建设标准,说明所采用的基本资料、计算用的水文系列;③基础设施建设,依据建设标准,确定基础设施建设规模,列出工程量;④技术装备,依据建设标准,确定技术装备建设规模,列出工程量。

(2)测站以上水文机构基础设施建设及技术装备工程:说明机构承担的工作任务,根据建设标准确定办公、生产业务用房与附属设施的建设规模,以及技术装备的数量,列出工程量表。

测站以上水文机构基础设施建设及技术装备工程规模和标准,应对不同类别按照相应的规程、规模和技术标准分别确定。

(四)设施设备设计

1.水文测站建设(改造)工程

(1)测验河段基础设施。测验河段基础设施包括断面标志、水准点、断面界桩、保护标志牌、测验码头、观测道路、护坡、护岸等。分析计算其布置方法和形式,确定测验码头、观测道路、护坡、护岸等设施的结构和形式。

(2)水位观测设施。分析地形条件、水位变幅、河道冲淤变化,确定水位观测设施的水位计支架、水位计井及基础的结构形式,水位计的探头高程及设施布置等。

(3)流量及泥沙测验设施。根据测站特性和测验任务分别选用缆道、测船、吊船、测桥、浮标、堰槽等方式,通过分析计算确定出所选用的特征参数和结构形式。

缆道初设内容包括设计基本资料(设计水位、设计流量、运用水位、设计流速、工作流速、设计水深、最大水深、工作水深、最大含沙量、工作含沙量、设计风力、校核风力、气象资料及高程资料等)和主要设计内容(主索及循环索安全系数、钢支架及架头架脚设计、基础设计、锚碇设计以及副缆道设计等)。

测船初设内容包括船型尺寸(型长、型宽、型深、吃水深)、设计功率及航速、机电设备规格型号及安装、舾装材料、配套测验设施安装等。

(4)降水、蒸发、地下水、水质测验设施及水文实验站设施。根据规范要求设立雨量(气象)观测场的规格、材料及布设情况,确定地下水观测井的结构形式,设立必要的水质采样断面标志或专用观测房,根据实验目的和实验项目确定相应设施主要结构形式。

(5)生产生活用房及附属配套工程建设。按建筑规范要求进行房屋及附属配套工程初设。

(6)供电、给排水、取暖、通信设施建设。确定供电线路、给排水、取暖、通信设施的初步布设情况。

(7)其他设施建设。对测站标志、围墙、大门、庭院绿化、道路硬化、消防、防盗、防雷等设施进行初步设计。

(8)技术装备。确定新仪器设备的安装及使用方法。

2.测站以上水文机构基础设施及技术装备工程

按建筑规范要求进行房屋及附属配套工程初设。说明仪器设备的安装及使用方法。

(五)施工组织设计

1.施工条件

(1)概述工程所在地点、对外交通运输条件、可以利用的场地面积和条件。

(2)概述选定方案主要建筑物的组成、形式、主要尺寸和工程量。

(3)说明工程的施工特点以及与其他有关单位的施工协调要求。

(4)说明施工期间的供水、供电及其他特殊要求。

(5)说明主要建筑材料及施工过程中所用大宗材料的来源和供应条件,当地水源、电源的情况,承包市场的情况。

(6)说明国家、行业、主管部门对本工程施工准备、工期等的要求。

2.施工布置与进度

(1)说明施工总布置的规划原则。

(2)提出场地平整土石方工程量。

(3)主体工程施工:①说明施工程序、方法、布置、进度;②说明基础处理的施工程序、方法、布置及进度;③说明混凝土各期的施工程序、方法、布置、进度及所需准备工作,提出各期机械设备选择与技术要求、埋设件施工与土建配合等。

(4)设计依据:①说明施工总进度安排的原则和依据以及国家或主管单位对本工程投入运行期限的要求;②说明主体工程、对外交通、其他临时设施等建筑安装任务及控制进度的因素。

（5）施工分期。提出工程筹建期、准备期、主体工程施工期、工程完成期四个阶段的控制性关键项目及进度安排、工程量等。

（6）施工进度。提出施工进度图。

3．施工交通运输

（1）对外交通运输：①调查核实对外水陆交通情况；②提出本工程对外运输总量及重大部件的运输要求。

（2）场内交通运输。说明运输方式、运输设备及运输工程量。

4．施工占地

根据工程建筑物组成，计算施工永久占地和临时占地面积，选定占地位置。

5．主要材料供应

（1）主要建筑材料。对主体工程和临时建安工程，分项列出所需钢材、木材、水泥等主要建筑材料总量。

（2）主要施工机械设备。施工所需主要机械和设备，按名称、规格、数量列出汇总表。

（六）工程管理

（1）建设管理机构。提出项目建设管理机构设置方案及机构职责，确定管理机构的人员编制情况。

（2）建设管理内容及任务。确定建设管理的内容及任务，按建筑工程和仪器设备购置分别确定管理方式。

（3）建设管理原则及依据。建设管理应坚持依法按规管理，制定并完善各种规章制度和管理办法，遵循加强重点、兼顾一般、注重效益的指导思想，实行全过程监督管理。提出建设管理的主要依据。

（4）规范化制度建设。运用水文相关法律法规，依法管理和维护水文行业的合法权益，完善与项目建设管理相配套的规定和办法，建立依法按规和规范化的管理模式。

（5）项目运行管理。测算出运行维护费，确定项目运行经费来源，并进行必要的技术培训。

（6）项目实施安排。确定项目实施安排计划。

（七）设计概算

1．编制原则及依据

（1）编制原则。初步设计概算是确定和控制基本建设投资、编制执行概算、编制工程招投标的依据，设计概算按编制年的价格水平编制。

（2）编制依据。说明编制初步设计概算采用的定额、费用标准及有关规定。

2．工程费用构成、基础价格及取费标准

（1）工程费用构成。水文基础设施建设初步设计概算按照建筑工程、仪器设备购置及安装、其他费、基本预备费四个部分编列。第一部分建筑工程，包括生产业务用房、雨量观测基础设施、流量泥沙测验渡河设施、供电设施、通信设施、观测道路及临时工程等，费用构成为直接工程费、间接费、企业利润、税金；第二部分仪器设备购置及安装，包括雨量计、水位计、流量测验仪器设备、泥沙采集处理设备、水化学分析设备以及报汛通信设备等，费用构成为设备原价、运杂费、运输保险费、采购及保管费；第三部分其他费，包括建设管理费、生产准备费、科研勘测设计费、建设及施工场地征用费、其他等;第四部分预备费,费用构成为基本预备费、价差预备费。

(2)基础价格。说明人工工资标准、主要材料来源地、供货比例以及电、风、水、沙石料和施工机械台班费等基础单价计算的原则和依据。说明主要设备原价、来源地及运输方式的确定原则与依据。

(3)取费标准。分别说明工程各部分的取费费率标准、取费基础及取费公式。

3.总投资概算

(1)工程第一至第四部分投资之和构成总投资。

(2)投资概算表。

(3)分类汇总表。

(4)概算附件。

4.资金筹措

说明投资建设资金来源渠道、建设配套资金来源渠道及其所占比例、资金性质等。

5.外资概算

利用外资采购设备、材料或进行国际招标工程,按照《水利水电工程利用外资概算编制办法》和有关国际惯例,分别编制采购型或国际招标型外资概算。

(八)效益评价

对水文基础设施建成后的防洪、水资源调度和配置、水环境监测、流域或区域治理开发等社会、经济效益进行效益评价。

第三节 工程设计全过程管理

一、工程设计管理目标和流程

(一)工程设计管理目标

(1)根据建设项目的功能、目标以及建设条件,根据相关法律、法规和政策的规定,对建设方案和投资进行细化、优化,为项目实施创造条件,以求取得投资效益最大化。

(2)确保建设项目工程设计质量和设计文件质量。

(3)确保工程设计进度符合项目建设总工期和施工进度要求。

(4)控制建设项目总投资,降低项目总投资。

(二)工程设计管理基本流程

工程设计管理基本流程如图 3-2 所示。

二、工程设计招标

(一)工程设计招标的含义

建设项目的立项报告批准后,项目准备阶段的第一项工作是工程勘察、设计招标。以招标承包方式委托工程勘察和设计任务。开展工程勘察、设计竞争,可以打破地区、部门的界限,达到采用先进技术、降低工程造价、缩短建设周期和提高投资效益的目的。

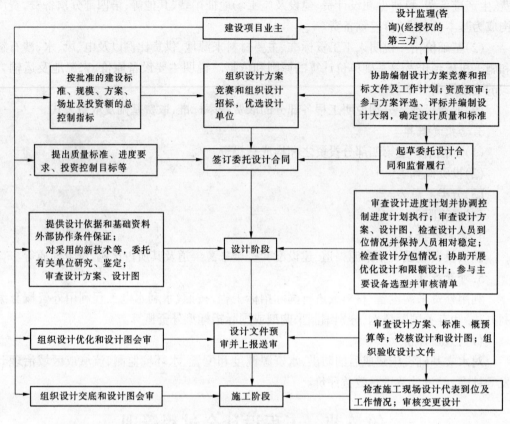

图 3-2　工程设计管理流程

(二)工程设计招标应具备的条件

按照有关法律、法规规定,实行工程设计招标的工程必须具备以下条件:

(1)要有经过批准的可行性研究报告或设计任务书,即建设项目已经批准,或核准,或备案同意。

(2)已具备开展工程设计必需的可靠基础资料。

(3)成立专门的招标小组或办公室,有专人开展工作。

(三)工程设计招标的组织和准备

(1)工程设计招标的组织准备。建设项目业主决定进行工程设计招标后,可以自行招标,也可委托招标代理机构组织招标。自行招标或委托招标都应有专门的招标组织。

(2)工程设计招标文件的编制。为了使投票人能够正确地进行投票,工程设计招标文件应包括以下几个方面的内容:①投票须知;②经过批准的可行性研究报告或设计任务书及有关行政文件的复制件;③建设项目说明书,包括对工程内容,项目建设投资限额,设计范围和深度,设计图内容、张数和图幅,建设周期和设计进度等的要求;④合同的主要条件;⑤设计资料的供应内容、方式和时间,设计文件的审查方式;⑥进行现场勘察和对招标文件说明的时间与地点;⑦评标标准、评标方法和中标条件;⑧投标截止日期。

在工程设计招标文件中,最重要的是对设计提出明确的要求,一般称之为设计要求文件或设计大纲,是设计招标投标的指导性文件,大致包括以下几个方面的内容:①设计文件编制的依据;②有关行政主管部门对规划方面的要求;③技术经济指标;④平面布局要求;⑤结构形式的要求;⑥结构设计的要求;⑦设备设计的要求;⑧特殊工程的要求;⑨其他有关的要求。

设计要求文件的编写应尽可能具体和详细。一般在可行性研究和项目评估阶段就确定了建设项目的投资限额,工程设计必须在投资限额条件下进行。为了保证项目所需的功能要求和质量,同时又要有效控制投资,应对使用要求、设计标准、主要设计参数进行比较具体和详细的规定。

(四)评标和定标

1.评标

设计招标的每份投标书都包含有投标单位对该工程项目设计的创造性方案设想。为了保护投标单位的知识产权,开标后对有效的工程设计投标书应在招标监督机构的监督下进行保密处理后移交评标委员会。

工程设计投标评审包括如下几个方面。

(1)工程设计方案:①设计指导思想是否正确。②总体布置和场地利用系数是否合理。③技术是否先进。④设备选型是否符合适用性。⑤主要建筑物、构筑物的结构是否合理。⑥其他有关问题。

(2)工程设计进度计划能否满足项目建设总进度计划要求。对于大型复杂的工程项目,招标人为了缩短建设项目的建设周期,往往在初步设计完成后就进行施工招标,在施工阶段陆续提供施工详图,此时应重点审查设计进度是否能满足施工进度的要求,确保工程施工的顺利进行。

(3)设计单位的资质、业绩和社会信誉。对投标单位的资质、业绩和社会信誉及其质量保证体系进行的审查是对各申请投标单位资格审查的内容之一,可在投标前作资格预审,也可在评标时进行资格后审。

(4)投标报价的合理性。不仅评定工程设计费总价,还要审查各分项取费的合理性。

(5)运用价值工程进行设计方案评选。同一建设项目,同一单项、单位工程,可以有不同的设计方案,可以运用价值工程进行方案比选。

2.定标

评标委员会经过评审投标书和投标人的评标答辩后,在评标报告中推荐备选中标方案。建设项目业主依据工程设计单位投标书所表明的设计方案及其特色、技术水平、综合效益、设计进度等,最终选定中标单位,并与之签订合同。对未中标单位也应依据标书设计工作量的大小,给予一定的经济补偿。

(五)工程设计合同的特点和需要注意的问题

(1)工程设计合同必须符合政府规定的工程建设管理程序。工程设计合同应以经批准的可行性研究报告或有关文件为基础。工程设计单位只能按其资质等级接受相应等级或限额内项目的设计任务,不能越级承包,否则设计合同为无效合同。

(2)建设项目业主在签订合同之前应与工程设计单位就原投标方案进行探讨,尽可能将其他投标人的某些设计特点融于设计方案之中。为了保护非中标单位的权益,在使用非中标单位的技术成果时,需征得该单位同意后实行有偿转让。

三、工程设计监理

(一)工程设计监理的意义

工程设计监理是指有相应资质的监理单位,接受建设项目业主委托,依据有关工程建设的法律、法规,经政府主管部门批准的工程建设文件和委托监理合同,对工程设计提供专业化的工程设计监理服务。

工程设计监理的特点是,在工程设计过程中,不断融入工程设计监理的意见和建议,全过程优化工程设计,不断提高工程设计成果的合理性、可靠性、安全性和经济性,为建设项目业主提供优化的工程设计。

水文水资源设施工程设计监理应由项目业主或主管部门委托具有相应资质的水利、水文监理部门进行。

(二)工程设计监理机构的选择

工程设计监理招标与其他各类招标的最大区别表现为标的的特殊性。

(1)工程设计监理招标的宗旨是对工程设计监理单位能力的选择。工程设计监理是高智能服务,更多地取决于参与工程设计监理工作人员的业务专长、经验、判断能力、创新能力以及风险意识。建设项目业主对工程设计监理单位的资质和工程设计监理人员的专业特长、能力及经验应予以足够的重视。

(2)在选择工程设计监理单位时,工程设计监理报价居次要地位。工程设计监理招标专业技能选择是第一位的,只有专业技能和信誉最优的投标单位才能适当考虑报价因素。工程设计监理单位的高质量服务,往往会使建设项目业主获得节约工程投资的实际效益。

(3)邀请投标单位宜少。选择工程设计监理单位,一般采用邀请招标,邀请数量以3~5家为宜。

四、工程设计评审

工程设计评审的目的是优化工程设计,提高投资效益。工程设计评审是一个专业性、技术性很强的工作,是工程质量、投资控制的重要环节。设计评审包括设计方案评审、初步设计评审和施工图设计评审三方面的内容。

建设项目业主在组织设计评审时,可以聘请有关专家进行评审,也可以委托有能力的专业咨询公司或工程监理公司等中介机构进行评审。目前,设计方案和初步设计的评审,宜委托给专业咨询公司;施工图设计评审可委托给监理公司,这对工程项目施工管理较为有利。

(一)设计方案评审

控制设计质量,首先要把住设计方案审核关,保证建设项目工程设计符合设计纲要的要求,符合国家有关方针、政策和现行建筑设计标准、规范,技术合理先进,实现建设项目投资者提出的功能目标和效益目标,发挥工程项目的经济效益和社会效益。

(1)总体方案评审。重点审核设计依据、设计规模、项目组成及布局、设备配套、占地面积、建筑面积、防震抗灾、建设期限、投资概算等的可靠性、合理性、经济性、先进性和协调性,是否满足决策质量目标和水平。

(2)专业设计方案评审。重点是审核专业设计方案的设计参数、设计标准、设备选型和结构造型、功能等方面是否满足适用、经济、安全、可靠的要求。

设计方案审核要结合投资概算资料进行,做好技术经济比较和多方案论证,确保工程质量、投资和计划进度。

(二)初步设计评审

对初步设计文件的审查,主要围绕建设项目的质量、进度及投资进行。

审查总目录和设计总说明应依据建设项目业主提出的工程设计委托条件和设计原则,逐条对照,审核工程设计是否均已满足;重点审查设计质量是否符合决策要求,工程项目是否齐全,有无漏项;设计标准、装备标准是否符合预定要求。审查初步设计安排的施工进度和投产时间能否实现,各种外部因素是否考虑周全。审查总概算,主要审查方案比较是否全面,经济评价是否合理;设备投资是否合理,主要设备订货价格是否符合市场价格,能否用国产设备,订制国外设备的条件,运输费用是否合理等。

对初步工程设计图的审查,重点是审查水文水资源设施的总平面布置,各单项工程的组成与结构,生产业务用房组成和结构等。各项设计要符合水文水资源业务的相关要求。

(三)施工图设计评审

施工图是对设备、设施、建筑物、管线等工程对象物的尺寸、布置、选材、构造、相互关系、施工及安装质量要求的详细设计图和说明,是指导施工的直接依据,也是设计阶段质量控制的一个重点。审查重点是使用功能是否满足质量目标和水平。

(1)总体审核。首先要审核施工图的完整性和完备性,包括各级单位的签字盖章。其次审核工程施工设计总平面布置图和总目录。总平面布置和总目录的审核重点是:工艺和总图布置的合理性,项目是否齐全,有无子项目的缺漏,总图在平面和空间的布置上是否有交叉和矛盾;工艺流程及装置、设备是否满足标准、规程、规范等的要求。

(2)总说明审查。工程设计总说明和分项工程设计总说明的审核重点是:所采用的设计依据、参数、标准是否满足质量要求,各项工程做法是否合理,选用设备、仪器、材料等是否先进、合理,工程措施是否合适,所提技术标准是否满足工程需要。

(3)具体设计图审查。设计图审查的重点是:施工图是否符合现行标准、规程、规范、规定的要求;设计图是否符合现场和施工的实际条件、深度是否达到施工和安装的要求,是否达到工程质量的标准。

五、设计交底和设计图会审

(一)目的

设计交底和设计图会审的目的是为了保证工程质量,使施工单位熟悉设计图,了解工程特点、设计意图和关键部位的质量要求,发现设计图错误并进行修改。

(二)程序

建设项目业主组织施工单位和工程设计单位进行设计图会审,先由工程设计单位向施工单位进行技术交底,即工程设计单位介绍工程概况、特点、设计意图、施工要求、技术措施等有关注意事项;然后由施工单位提出设计图中存在的问题和需要解决的技术难题,通过四方(建设项目业主、工程监理、工程设计、工程施工)协商,拟订解决方案,并以会议纪要形式记录在案。

(三)设计图会审的主要内容

(1)设计资料是否经工程设计单位签署,设计图与说明是否齐全,有无续图供应。

(2)地质资料与外部资料是否齐全。

(3)总平面图和施工图是否一致,设计图之间、专业之间、图面之间有无矛盾,标志有无遗漏;总图布局是否合理。

(4)地基处理是否合理,施工和安装有无不能实现或难以实现的技术问题,有无易于导致质量和安全事故及费用增加等方面的问题,材料选定是否合理、能否代换。

(5)通用设计图是否齐全。

六、实施阶段的设计管理

在项目实施阶段,协调设计与施工的配合是设计管理的一项重要工作,其主要工作内容包括:

(1)当设计图存在问题时,责成设计单位进行修改。

(2)督促设计人员参与必要的现场指导及检查验收工作。

(3)处理设计变更,审核设计变更的合理性、必要性以及工程量的审核、材料和设备变更的审核。

(4)质量事故的处理。监督设计单位对事故的危害性进行分析,参与质量事故原因分析、质量事故处理及缺陷补救方案与措施的确定,或对处理方案、措施进行技术鉴定。

(5)参与工程竣工验收。

第四节　工程设计质量控制

一、工程设计质量控制的意义

设计任务书是进行设计质量控制、工程质量控制和投资控制最重要的依据之一。

工程设计质量不仅直接决定了工程最终能达到的质量水准,而且决定了工程实施的秩序程度和费用水平。在现代工程建设中,要求工程设计提供的信息越来越多。工程设计中的任何错误都会在计划、制造、施工、运行中扩展、放大,引起更大的失误。所以,建设项目业主和项目管理者都应在工程设计管理工作上投入较多精力,严格控制、及早协调。

(一)工程设计质量控制

工程设计质量包括两个方面:一是工程的质量标准,例如采用的技术标准、设计使用年限、工程规模、达到的生产能力,它是设计的工作对象;二是设计工作质量,即设计成果的正确性、各专业设计的协调性、设计文件的完备性及设计文件清晰、易于理解、直观明了,符合规定的详细程度和设计成果数量。

(1)工程质量目标的确定。由建设项目业主确定建设项目总功能目标和总质量标准。确定建设项目应达到的功能目标和效益目标,提出建设规模、目标、方案、生产技术,以及效益目标等工程设计质量目标。这是建设项目业主市场战略和技术战略的一部分。

(2)按产品方案确定生产规划,并确定各个部分的生产能力、生产设备及配套的供应和附属的要求,形成各部分的设计要求。对重点部位应作特别说明。

确定建设项目范围时应明确项目特性、系统标准、规格,并形成文件,以此作为设计的依据。尽可能用可以测量的指标表示,并规定如何测量。

(3)提出具体工程要求、技术说明、安全说明等,最终形成工程质量要求文本。它是用特征值和边界值表示的,是工程的总体规范,并以说明书(表)的形式来制定质量要求目标值。这对详细技术设计起控制作用。

(4)详细技术设计工作。建设项目关于质量的定义,只有通过详细技术设计使之具体化、细化。在现代工程设计中,每部分涉及的各专业设计都有相应的技术规范,这些规范作为通用规范是设计的依据。按照工程特点、河道特性等还必须进行工程的特殊技术设计,做出设计图和特殊(专用)规范,以及各方面详细的技术说明文件。

(5)影响设计质量标准的重要因素之一是投资限额及其分配。建设项目批准后,人们常常将批准的投资总额,按各个子项功能进行切块分解,作为各部分设计的依据。建设项目总体以及各部分的工程质量标准就由这个投资分解敲定。

(二)工程设计质量管理和控制

1.分阶段设计

无论是国内还是国外,工程设计都是分阶段进行的,由总体到详细,各个阶段的设计文件都必须经过一定的权力部门审批,作为继续设计的依据,这是一个重要的控制手段。对阶段设计成果应审批签章,再进行更深入的设计,否则无效。

2.设计审查

由于设计工作的特殊性,对一些大型和技术复杂的工程,建设项目业主和项目管理者常常不具备相关的知识和技能,通常可委托设计监理或聘请专家咨询,对设计进度和质量以及设计成果进行审查。这是十分有效的控制手段。

3.多方案论证

(1)采用设计招标,对多家投标方案进行比较,在选择好的设计单位的同时选择一个好的方案。

(2)采取奖励措施,鼓励设计单位进行多方案比选和设计方案优化。

(3)某些技术复杂的工程设计,应请科研单位专门对方案进行试验或研究,进行全面技术经济分析,最后选择优化的方案。

4.设计质量检查

对设计工作质量进行检查,在设计阶段发现问题和错误,这是一项十分细致的、技术性很强的工作。

(1)检查设计文件的完备性。设计文件应包括说明工程形象的各种文件,与各种专业设计图、规范、模型相应的概预算文件,设备清单和工程的各种技术经济指标说明,以及设计依据的说明文件、边界文件的说明等。设计文件应能够为施工单位和各层次的管理人员所理解。

(2)从宏观到微观,分析设计构思、设计工作、设计文件的正确性、全面性、安全性,识别系统错误和薄弱环节。分析工程设计付诸实施和工程建成后能否安全、高效、稳定、经济地运行,是否美观,是否与环境协调一致。

5.设计评价

对设计工作的评价,包括工程功能组合的科学性,数量和质量是否符合建设项目的要求。

(1)设计应符合行业相关的标准和规范要求,特别是必须符合强制性标准和规范要求。

(2)设计工作的检查不仅要有建设项目业主、项目管理者、设计监理(咨询)参与,如有必要和可能应让施工单位、设备制造厂家和将来生产运营(使用)单位参加相关的设计会,需要注意的是,在实际工作中经常发生如下问题:①技术设计没有考虑到施工的快捷性和安全性;②设计中未考虑将来运行中的维修、设备更换、保养的方便;③设计中未考虑运营的安全、方便和运行费用的高低。

因此在检查中必须找出各种问题和薄弱环节,在建设实施前所有的设计文件都应是确定的、正确的,不能有任何疑问。

二、工程设计的质量特征

工程设计评审过程中,对设计文件的质量主要依据其功能性、可信性、安全性、可实施性、适应性、时间性等六个质量特性是否满足要求来衡量。

(一)功能性

(1)建设规模与结构、生产能力、方案组成等符合设计合同、可行性研究报告或基础工程设计(初步设计)审批文件要求。

(2)工程及辅助生产装置配套合理,适应生产要求。

(3)总图及装置布置合理,相关防护设施符合规范要求。

(二)可信性

(1)设计基础资料齐全、准确、有效,计算依据可靠、合理,设计条件正确。设计文件的内容深度、格式符合规定要求。

(2)专业设计方案比选应有论证报告,结论明确。

(3)采用的技术、设备、材料均应先进、可行,采用的新工艺、新设备、新材料均已通过鉴定,并有相应的证明材料。

(4)具有可维修性及维修保障性。

(5)定型设备应选择国家或行业的系列化、标准化产品,严禁选用淘汰产品。

(三)安全性

(1)总图布置、地基处理、设备及缆道、测桥等建筑物设计安全可靠,符合国家相关规范规定和水利行业相关规范标准的要求。

(2)工业及民用建筑设计应满足防火和防腐等规范的要求。

(四)可实施性

(1)建筑、结构设计应考虑生产能力、装备标准以及项目建设地区的具体情况和施工单位的作业技术能力、装备水平,并应提出施工验收准则。

（2）设计中应考虑高、大、重设备的运输及安装方案、实施条件、检修置换作业及其他特殊安装要求。

（3）现场制作的设备应考虑现场作业条件及环境特点等因素。

（4）工程设计文件应提供主要设备、材料的采购、制作和检验的技术要求。

（五）适应性

适应性是指根据设计合同规定的要求，工程设计应考虑项目建成后生产规模、生产能力等条件合理变化的能力。

（六）时间性

（1）工程设计文件交付期限应满足设计合同的规定要求。

（2）设计服务应满足设计合同对建设进度的要求。

三、对工程设计单位的质量管理体系和工程设计质量的要求

工程设计单位质量管理体系是否健全对工程设计的质量至关重要。建设项目业主在评价工程设计单位时，应将其质量保证体系作为重点评价内容之一，进行全面评价。

为保证设计质量，工程设计单位应执行行业相关的系统标准，建立健全质量保证体系，设置质量管理的专职机构，强化设计质量管理与控制工作。对设计质量的管理与控制应满足质量保证体系的要求，制定设计和开发的策划、组织和技术接口、设计输入、设计输出、设计评审、设计验证，设计确认和设计更改等程序，并控制其实施的有效性。健全内部质量管理体系。为达到工程项目所确定的质量目标，设计各阶段的每个环节必须按规定的质量控制程序要求进行，使设计全过程都处于受控状态。

第五节　工程设计进度控制

一、工程设计进度控制的意义

（一）工程设计进度控制是工程建设进度控制的主要内容之一

工程建设进度控制的目标是建设工期。工程设计作为工程项目实施过程的一个重要环节，其设计周期又是建设工期的组成部分。为了实现工程建设进度总目标，必须对设计进度进行控制。

工程设计涉及众多因素，它必须满足使用要求，同时也要讲究经济、美观和效益，并考虑施工的可能性。工程设计本身就是各专业协作的产物。为了对诸多复杂问题进行综合考虑，工程设计往往需要经过多次反复才能定案。通过确定合理的设计周期，控制工程设计进度，使工程设计的质量得到保证，对工程建设有着很重要的意义。

水文水资源设施工程建设由于涉及多专业、多领域学科，因此更需要合理地确定工程的设计周期，控制工程设计进度，确保水文水资源设施工程设计质量。

（二）工程设计进度控制是施工进度控制的前提条件

工程建设必须先有设计图，然后才能按图施工；只有及时供应施工图，才能有正常的施工进度。在实际工作中，由于工程设计进度拖延和设计变更多，使施工进度受到影响的

情况时有发生。为了保证施工进度不受影响,应加强设计进度控制。

(三)工程设计进度控制是设备和材料供应进度控制的前提

工程项目建设所需的设备、材料采购的依据,是由设计单位根据工程设计提出的设备、材料清单。只有控制工程设计工作的进度,才能保证设备和材料的供货进度,进而保证施工进度。

二、工程设计进度控制的目标和控制的重点

工程设计进度控制的最终目标是按质、按量、按时间要求提供施工图设计文件。在控制总目标下,控制工程设计进度还应有阶段性目标和专业目标。在设计准备、初步设计、技术设计、施工图设计等阶段都应有明确的进度控制目标。

(一)设计准备工作进度目标

(1)确定规划设计条件。规划设计条件是指在城市建设中由城市规划管理部门根据国家有关规定,从流域(区域)规划的角度出发,对拟建项目在规划方面所提出的要求。规划设计条件由建设项目业主提出申请,规划管理部门提出规划设计条件征询意见表,最后由规划部门发出规划设计条件通知书予以确认。

(2)提供设计基础资料。建设项目业主必须向设计单位提供完整、可靠的工程设计基础资料,它是设计单位进行工程设计的主要依据。设计资料一般包括下列内容:①经批准的可行性研究报告;②规划设计条件通知书和地形图;③建设项目业主与有关部门签订的有关协议;④各类设备的选型,生产厂家及设备构造安装图。

(二)初步设计、技术设计进度目标

为了确保工程建设总目标的实现,并保证工程设计质量,应根据工程建设项目的具体情况,确定合理的初步设计和技术设计周期,除了要考虑设计工作本身及进行设计分析和评审时间外,还应考虑设计文件的报批时间。

(三)施工图设计进度目标

施工图设计是工程设计的最后一个阶段,其工作进度将直接影响建设项目的施工进度,影响工程建设进度总目标的实现。必须确定合理的施工图设计交付时间目标,确保工程建设进度总目标的实现,为工程施工的正常进行创造良好的条件。

(四)设计进度控制分目标

为了有效地控制工程建设的设计进度,可把工程设计进度目标具体分解为各阶段设计进度分目标。如把初步设计进度目标分解为方案设计进度控制目标和初步设计进度控制目标;把施工图设计进度控制目标分解为基础设计进度控制目标、结构设计进度控制目标、装饰设计进度控制目标及安装图设计进度控制目标等。这样,设计进度控制目标便构成了一个从总目标到分目标的完整的目标体系。

(五)工程设计进度的协调与管理措施

(1)协调各设计部门和专业的工作。一般大中型项目往往由若干个单项工程组成,可能多个设计单位参与设计,一个单项工程的设计文件又由若干个专业构成。因此,做好各设计单位、各专业之间的协调工作是保证设计任务顺利完成的重要条件。

(2)加强与外部的协调工作。配合工程设计进度,提供基础资料,协调工程设计与有

关主管部门的关系。

(3)协调设计与设备供应商的关系。目前国内工程设计单位大多不做设备设计,设备制造商又不能做工程设计,工程设计和设备设计分开进行,两者之间要相互提供资料,因此项目业主要主动进行协调。

第六节　工程设计投资控制

一、工程设计阶段投资控制的意义

投资控制贯穿于工程设计的全过程,贯穿于项目建设全过程。大量的实践表明,每个建设阶段对建设项目投资影响的程度是不同的,如图3-3所示。从图中可以看出,对项目投资影响最大的是项目投资决策和工程设计阶段。初步设计影响项目投资的可能性为75%～95%;技术设计影响项目投资的可能性为35%～75%;施工图设计影响项目投资的可能性为5%～35%。很显然,要想有效地控制建设项目投资,就要坚决地把投资控制工作重点转移到建设前期,关键在于建设项目前期的投资决策和工程设计阶段。在建设项目做出投资决策后,控制项目投资的关键就在于工程设计。

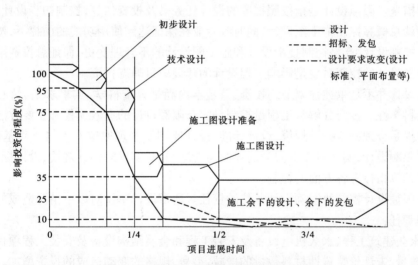

图3-3　不同建设阶段对项目投资影响程度

二、工程设计阶段投资控制的目标

由于工程项目建设周期长、消耗物资大、价格变动风险大、技术进步速度快,因而不可能从建设项目一开始就确定一个固定不变的投资控制目标,只能随着工程实践的深入,逐步形成投资估算、设计概算、施工图预算、总承包合同价或承包合同价,投资控制目标也逐渐清晰、准确。投资控制目标是分阶段设置的,它们之间相互制约、相互补充,前者控制后者,后者补充前者,共同组成投资控制的目标系统:

(1)投资估算是方案设计和初步设计的投资控制目标。

（2）设计概算是技术设计和施工图设计的投资控制目标。

（3）总承包合同价是总承包单位在建设实施阶段的投资控制目标。

（4）施工图预算建筑安装工程承包合同价是施工阶段控制建筑安装工程的投资控制目标。

三、工程设计阶段投资控制的主要方法

在工程设计阶段，正确处理技术与经济的对立统一关系是控制投资的重要原则。在工程设计中，既要反对片面强调节约，忽视技术上的合理要求，使建设项目达不到使用功能的要求，又要反对重技术，轻经济，或使设计过于保守造成浪费或盲目追求先进脱离国情的倾向。设计阶段控制投资的主要方法有：实行设计方案竞选和工程设计招标，应用价值工程优化设计，积极推广标准设计及限额设计等。

（一）设计方案竞选和工程设计招标

实行设计方案竞选和工程设计招标，对工程设计优化、投资的控制将起到重要的作用。任何部门、任何地方都不应实行保护主义，而应鼓励竞争。

（二）推行限额设计

采用限额设计是我国水文水资源设施工程建设领域控制投资支出、有效使用建设资金的有力措施。限额设计是指按照批准的设计任务书及投资估算，控制初步设计；按批准的初步设计总概算控制施工图设计，同时各专业在保证达到使用功能的前提下，按分配的投资限额控制设计，严格控制技术设计和施工图设计的不合理变更，保证总投资限额不被突破。限额设计的控制对象是影响工程设计的建设项目静态投资。

限额设计并不是单纯强调节约投资，其基本内涵是尊重科学、实事求是、精心设计和保证设计科学性。投资分解和工程量控制是实行限额设计的有效途径和主要方法。限额设计的前提是合理确定设计规模、设计标准、设计原则及合理取定有关概预算基础资料，通过层层限额设计，实现对投资限额的控制与管理，同时实现对设计规模、设计标准、工程数量与概预算指标等各方面的控制。

推行限额设计控制要明确设计单位的责任。通常设计单位对以下情况造成的投资增加要承担责任：

（1）永久建筑工程、永久机电设备及安装工程和金属结构设备及安装工程项目的工程量、设备数量、未计价装置性材料数量的增减，型号、规格的变动造成的投资增加。

（2）根据政府有关部门规定的现行政策、制度、定额、费用标准确定的投资额度，设计单位未经审批单位同意或违反规定，擅自提高建设和永久机电设备及金属结构标准，增列初步设计范围以外的工程项目等原因造成的投资增加。

（3）由于设计单位初步设计工作深度不够，或设计标准选用不当，设计单位提出的主要设计方案与工程量虽经审查原则同意，但在下一设计阶段，工程量、机电设备、金属结构数量及型号、规格仍有较大变动且未经原审查部门同意导致的投资增加。

（4）未经原审批部门同意，其他部门要求设计单位提高工程建设标准，增加建设项目，未经同意增加的投资。

(三)推广标准设计

经中央和地方水行政主管部门批准的水文水资源相关技术文件和设计图称为标准设计。各专业设计单位按照本专业需要自行编制的标准设计图称为通用设计。推广采用标准设计是在设计阶段有效控制和降低工程投资的方法之一。

四、严格审查设计概算和施工图预算

(一)严格审查设计概算和施工图预算

(1)有利于合理分配投资资金、加强投资计划管理,有助于合理确定和有效控制工程造价。

(2)有利于促进概算编制单位严格执行国家和水利行业有关概算编制的规定与费用标准,从而提高概算编制的质量。

(3)有利于提高设计的技术先进性与经济合理性。概算中的技术经济指标是概算的综合反映,与同类工程对比,便可看出它的先进与合理程度。

(4)有利于核定建设项目的投资规模,可以使建设项目总投资力求做到准确、完整,防止任意扩大投资规模或出现漏项,减少投资缺口,缩小概算与预算之间的差距,避免故意压低概算投资,搞"钓鱼"项目,最后导致实际造价大幅度地突破概算。

经审查的设计概算,是落实建设项目投资的依据。合理设计投资概算,不留缺口,有助于提高建设项目的投资效益。

(二)设计概算审查的内容

1.审查设计概算编制的依据

(1)审查设计概算编制依据的合法性。编制设计概算采用的各种依据,必须经过政府有关部门或其授权机关的批准,未经批准的不能采用。

(2)审查设计概算编制依据的时效性。各种依据,如定额、指标、价格、取费标准等,都应根据按政府有关部门的现行规定采用。如有新的调整规定则应执行新规定。

(3)审查设计概算编制依据的适用范围。各种编制依据都明确规定其适用范围,如政府各主管部门规定的各种专业定额及其取费标准,只适用于该部门的专业工程;各地区规定的各种定额及其取费标准,只适用于该地区范围内,特别是地区的材料预算价格区域性更强。

2.审查设计概算编制说明、深度及范围

(1)审查设计概算编制说明。审查设计概算编制说明可以检查设计概算的编制办法、深度和编制依据等重大原则问题,若编制说明有差错,具体概算必有差错。

(2)审查设计概算编制深度。一般大中型建设项目的设计概算,应有完整的编制说明和"三级概算"表(即总概算表、单项工程综合概算表、单位工程概算表),并按有关规定的深度进行编制。重点审查是否有不符合规定的"三级概算",各级概算的编制、核对、审核是否按规定签署,有无随意简化,有无把"三级概算"简化为"二级概算",甚至"一级概算"。

(3)审查设计概算的编制范围。重点审查概算编制范围及其具体内容与主管部门批准的建设项目范围及其具体工程内容是否一致;审查分期建设项目的建筑范围及其具体工程内容有无重复和交叉,有无重复计算或漏算;审查其他费用所列的项目是否符合规定,静态投资、动态投资和经营性项目铺底流动资金是否分别列出等。

3.审查工程概算的内容

(1)审查工程概算的编制是否符合现行法规,是否根据工程所在地的自然条件编制。

(2)审查建设规模(投资规模、生产能力等)、建设标准(用地指标、建筑标准等)、配套工程、设计定额等是否符合原批准的可行性研究报告或立项批文的标准。对总概算投资超过批准投资估算10%以上的,应查明原因,重新报批。

(3)审查工程概算编制方法、计价依据和程序是否符合现行规定,包括定额或指标的适用范围和调整方法是否正确。进行定额或指标的补充时,要求补充定额的项目划分、内容组成、编制原理与现行的定额相一致。

(4)审查工程量。审查工程量是否根据初步设计图、概算定额、工程量计算规则和施工组织设计的要求计算,有无多算、重算和漏算,尤其对工程量大、造价高的项目要重点审查。

(5)审查材料用量和价格。审查主要材料(钢材、木材、水泥、砖)的用量数据是否正确,材料预算价格是否符合工程所在地的价格水平,材料价差调整是否符合现行规定及其计算是否正确等。

(6)审查设备规格、数量和配置是否符合设计要求,是否与设备清单相一致;设备预算价格是否真实;设备原价和运杂费的计算是否正确;非标准设备原价的计价方法是否符合规定;进口设备的各项费用的组成及其计算程序、方法是否符合国家有关部门的规定。

(7)审查建筑安装工程的各项费用的取费是否符合国家或地方有关部门的现行规定,计算程序和取费标准是否正确。

(8)审查综合概算、总概算的编制内容、方法是否符合现行规定和设计文件的要求,有无设计文件以外项目,有无将非生产性项目以生产性项目列入。

(9)审查总概算文件的组成内容,是否完整地包括了建设项目从筹建到竣工投产为止的全部费用。

(10)审查其他费用。这部分费用数量多、弹性大,要按政府规定逐项审查,不属于总概算范围的费用项目不能列入概算,具体费率或取费标准是否按政府主管部门、行业有关部门规定计算,有无随意列项、多列、交叉计列和漏项等。

(11)审核投资效益。概算是初步设计经济效果的反映,要从生产规模、内容以及项目建成后的生产运营能力全面分析,是否达到了技术先进可靠、经济合理的要求。

(三)审查设计概算的方法

采用适当方法审查设计概算,是确保审查质量、提高审查效率的关键。常用方法有:

(1)对比分析法。对比分析法主要是通过建设规模、标准与立项批文对比,工程数量与设计图对比,综合范围、内容与编制方法、规定对比,各项取费与规定标准对比,材料、人工单价与统一信息对比,引进设备、技术投资与报价要求对比,技术经济指标与同类工程对比等。通过以上对比,容易发现设计概算存在的主要问题和偏差。

(2)查询核实法。查询核实法是对一些关键设备和设施、重要装置、引进工程等设计图不全、难以核算的较大投资进行多方查询核对,逐项落实的方法。主要设备的市场价向设备供应部门或招标公司查询核实;重要生产装置、设施向同类企业(工程)查询了解;引进设备价格及有关费税向进出口公司调查核实;复杂的建筑安装工程向同类工程的建设、承包、施工单位征求意见;深度不够或不清楚的问题直接询问原概算编制人员和设计人员。

(3)联合会审法。联合会审前,可先采取多种形式分头审查,包括设计单位自审,项目业主、承包单位初审,工程造价咨询公司评审,邀请同行专家预审,审批部门复审等。经层层审查把关后,由有关单位和专家进行联合会审。在会审时,由设计单位介绍概算编制情况及有关问题,各有关单位、专家汇报初审、预审意见。然后进行认真分析、讨论,结合对各专业技术方案的审查意见所产生的投资增减,逐一核实原概算出现的问题。经过充分协商,认真听取设计单位意见后,实事求是地处理和调整。

通过以上复审后,对审查中发现的问题和偏差,按照单项、单位工程的顺序,先按设备费、安装费、建筑费和工程建设其他费用分类整理;然后按照静态投资、动态投资和铺底流动资金三大类,汇总核增或核减的项目及其投资;最后将具体审核数据,按照"原概算"、"审核结果"、"增减投资"、"增减幅度"四栏列表,并按照原总概算表汇总顺序,将增减项目逐一列出,相应调整所属项目投资合计,再依次汇总审核后的总投资及增减投资额。对于差错较多、问题较大或不能满足要求的,责成概算编制单位按会审意见修改后重新报批;对于无重大问题,深度满足要求,投资增减不多的,当场核定概算投资额,并提交审批部门复核后,正式下达审批概算。

(四)审查施工图预算的意义

施工图预算编制完成后,需要认真进行审查。加强施工图预算的审查,对于提高预算的准确性,正确执行相关法规,降低工程造价具有重要的现实意义:

(1)有利于控制工程造价,克服和防止预算超概算。

(2)有利于加强固定资产投资管理,节约建设资金。

(3)有利于建筑工程承包合同价的确定和控制。施工图预算是建筑工程投标标底编制的依据,是不宜招标的建筑工程承包合同价款结算的依据。

(4)有利于积累和分析各项技术经济指标。通过审查工程预算,核实预算价值,为积累和分析技术经济指标提供数据,进而通过有关指标的比较,找出设计中的薄弱环节,不断提高设计水平。

(五)审查施工图预算的内容

审查施工图预算的重点,应该放在工程量计算,预算单价套用,设备、材料预算价格取定是否正确,各项费用标准是否符合现行规定等方面。

1. **审查工程量**

(1)水文水资源设施建筑工程一般包括土方工程、石方工程、砌筑工程、混凝土工程、基础工程、防雷接地工程、附属工程(观测道路、站院硬化、绿化、供水、供暖、围墙、大门等)等;安装工程一般包括支架工程、缆索工程、附件工程、仪器设备安装调试等。生产业务用房可参考建筑部门相关规定和内容。

(2)工程量清单的审查。对工程量清单的审查,重点是审查其中的项目和工程数量的计算是否符合相关规范。

2.审查设备、材料预算价格

设备、材料预算价格在施工图预算造价中变化最大、影响最大,要重点审查。

(1)审查设备、材料预算价格是否符合工程所在地的真实价格及价格水平。若采用市场价,要核实其真实性、可靠性;若采用权威部门公布的信息价,要注意信息价的时间、地点是否符合所审工程实际,是否按规定调整。

(2)设备、材料的原价确定方法是否正确。非标准设备的原价的计价依据、计价方法是否正确、合理。

(3)设备的运杂费及其费率的计算是否正确;材料预算价各项费用计算是否合理。

(六)审查施工图预算的步骤

1.做好审查前的准备工作

(1)熟悉施工图。施工图是编审预算分项数量的重要依据,必须全面熟悉了解,核对所有设计图。

(2)了解预算包括的范围。根据预算编制说明,了解预算包括的工程内容,例如:测验设施、配套设施、室外管线、道路以及会审设计图后的设计变更等。

(3)弄清预算采用的单位估价表。任何单位估价表或预算定额都有一定的适用范围,应根据工程性质,搜集、熟悉相应的单价、定额资料。

2.选择合适的审查方法,按相应的内容审查

由于工程规模、繁简程度不同,施工方法和施工企业情况不一样,所编工程预算的质量也不同。因此,需选择适当的审查方法进行审查。综合整理审查资料,并与编制单位交换意见,定案后编制调整预算。审查后,需要进行增加或减少的,经与编制单位协商,统一意见后,进行相应的修正。

第七节　水文水资源设施工程概、预算定额

水文水资源设施建设是水文水资源工作的重要内容,是确保水文水资源生产顺利运行的基础。定额是编制水文水资源设施建设计划,合理确定工程投资的基础。

一、水文水资源设施工程概、预算定额的作用

(1)水文水资源设施建设项目建设方案编制审批有一个统一的标准,可以克服建设单位在编制工程投资和使用投资上的任意性以及管理上的盲目性。

(2)建设单位在进行项目可行性方案论证时,对不同方案的经济指标比较,能贴近现实水平,避免以往估算的方式,以保证项目在技术上可行、经济上合理。

(3)随着建设市场管理的日趋完善,水利建筑市场的进一步开放,水文水资源设施建设也必然走向社会,实行工程招标投标制。而水文水资源行业没有一套统一的定额,不仅制约了水文水资源工程建设市场的对外开放和水文水资源行业社会地位的加强,而且也不利于工程建设质量和资金使用效率的提高,难以实现公平、公正、公开的运行机制。

(4)解决以往概、预算编制时,相同的水文水资源设施、不同的技术要求和环境条件采用同一个造价的问题。

二、定额编制原则和编制依据

(一)编制原则

水文水资源设施工程建设概、预算定额的编制原则主要遵循平均先进的原则、简明适用的原则、以专为主的原则。

(1)平均先进的原则。水文水资源设施工程定额的水平应是平均先进水平,因为只有平均先进水平的定额才能促进单位生产力水平的提高。平均先进即是指在正常的条件下,多数建设单位经过努力才能达到的水平。

(2)简明适用的原则。定额的简明适用是对定额的内容和形式而言,它要求定额内容丰富、充实,具有多方面的适应性,同时又要简单明了,容易为设计、施工人员掌握,便于计算、查询和执行。

(3)以专为主的原则。水文水资源设施工程本身就具有专业性、技术性很强的特点,因此要求水文水资源设施工程概、预算定额的编制必须要求专门技术机构的专业人员进行技术测定、分析整理,才能编制出具有科学性、权威性和专业性的水文水资源设施工程定额。

(二)编制依据

水文水资源设施工程建设概、预算定额的编制依据主要有:

(1)水利部"关于发布《水利建筑工程预算定额》、《水利建筑工程概算定额》、《水利工程施工机械台时费定额》及《水利工程设计概(估)算编制规定》的通知"(水总[2002]116号);

(2)《电力建设工程预算定额第一册建筑工程》、《电力建设工程预算定额第四册送电线路工程》(中国电力企业联合会中电联技经[2002]13号);

(3)《电力建设工程预算定额第三册电气设备安装工程》(中国电力企业联合会中电联技经[2002]12号);

(4)《送电线路安装工程预算定额交底说明》;

(5)《水利水电工程勘测设计水文生产定额》(水利部、能源部水规总院水规[1996]2号);

(6)《水文缆道测验规范》(SD121—84);

(7)其他技术测定和统计资料。

三、定额的组成

定额由水文水资源设施工程设计概(估)算编制规定、水文水资源设施工程概算定额、水文水资源设施工程预算定额、水文水资源设施工程施工机械及仪器仪表台时费定额等组成。主要内容包括以下几点。

(一)水文水资源设施工程设计概(估)算编制规定

1.概述

简要叙述水文水资源设施工程设计概(估)算编制说明和编制依据。

2.概算文件组成

1)概算正件组成

(1)编制说明。简要概述工程概况、概算编制原则和依据。

(2)工程部分概算表。主要包括概算表和概算附表。

概算表包括总概算表、建筑工程概算表、安装工程概算表、施工临时工程概算表、独立费用概算表、分年度投资表、资金流量表等。其中建筑工程费主要包括测验河段基础设施工程、水位观测设施工程、流量测验设施工程、泥沙测验设施工程、降水蒸发观测设施工程、生产生活及附属设施工程、其他设施工程等工程费用;安装工程费主要包括水文信息采集、传输和处理设备,测绘仪器,交通工具及其他设备的安装、调试等工程费用;施工临时工程费主要包括辅助主体工程施工所必须修建的临时性工程费用;独立费用主要包括建设管理费、生产准备费、科研勘测设计费、建设及施工场地征用费和其他费用等五项。

概算附表包括建筑工程单价汇总表、安装工程单价汇总表、主要材料预算价格汇总表、次要材料预算价格汇总表、施工机械台时费汇总表、主要工程量汇总表、主要材料量汇总表、工时数量汇总表、建设及施工场地汇总表等。

2)概算附件组成

概算附件主要包括人工预算单价计算表,主要材料运输费用计算表,主要材料预算价格计算表,施工用风价格计算书,补充定额计算书,补充施工机械台时费计算书,混凝土材料单价计算表,建筑工程单价表,安装工程单价表,主要设备运杂费率计算表,独立费用计算表,分年度投资表,资金流量计算表,价差预备费计算表,计算人工、材料、设备预算价格和费用依据的有关文件,询价报价资料及其他。

3)设备费

设备费主要包括设备原价、运杂费、运输保险费、采购及保管费等。

(二)水文水资源设施建筑工程概算定额

水文水资源设施建筑工程概算定额主要包括土方工程、石方工程、砌筑工程、混凝土工程、基础工程、防雷接地工程、附属工程(观测道路、站院硬化、绿化,供水、供暖、围墙、大门等)等。

(三)水文水资源设施安装工程概算定额

水文水资源设施安装工程概算定额主要包括支架工程、缆索工程、附件工程(金具、绳具、导向滑轮安装等)、仪器设备安装调试(水文信息采集传输设备的安装调试,供水、供电、取暖降温设备的安装调试,交通工具购置等)等。

(四)水文水资源设施建筑工程、安装工程预算定额

水文水资源设施建筑工程预算安装定额及水文水资源设施安装工程预算定额编制内容基本同概算定额,但子目更细化,更贴近实际水平。

(五)水文水资源设施工程施工机械台时费定额

水文水资源设施工程施工机械台时费定额主要包括土石方机械、混凝土机械、运输机械、起重机械、钻孔灌浆机械、工程船舶、动力机械、其他机械台时费定额。

(六)水文水资源设施安装工程施工仪器仪表台时费定额

水文水资源设施安装工程施工仪器仪表台时费定额主要包括信号发生器、功率计、场强计、扫描仪、失真度测试仪、调制度测试仪、逻辑分析仪、网络分析仪、示波仪、便携机、安装调试车等台时费定额。

四、取费标准

(一)直接工程费

直接工程费是指建筑安装工程施工过程中直接消耗在工程项目上的活劳动和物化劳动。由直接费、其他直接费、现场经费组成。

1.直接费

主要包括人工费、材料费、施工机械使用费。

1)人工费

人工费指直接从事建筑安装工程施工的生产工人开支的各项费用,内容包括:

(1)基本工资。由岗位工资和年功工资以及年应工作天数内非作业天数的工资组成。

(2)辅助工资。指在基本工资之外,以其他形式支付给职工的工资性收入,包括根据国家有关规定属于工资性质的各种津贴,主要有地区津贴、施工津贴、夜餐津贴、节日加班津贴等。

(3)工资附加费。指按照国家规定提取的职工福利基金、工会经费、养老保险费、医疗保险费、工伤保险费、职工失业保险基金和住房公积金。

2)材料费

材料费指用于建筑安装工程项目上的消耗性材料、装置性材料和周转性材料摊销费。包括定额工作内容规定应计入的未计价材料和计价材料。

(1)材料预算价格。主要材料预算价格一般包括材料原价、包装费、运杂费、运输保险费和采购及保管费五项。

(2)其他材料预算价格可执行工程所在地区就近城市地方政府颁发的工业与民用建筑安装工程材料预算价格。

(3)外购砂、碎石(砾石)、块石、料石等预算价格,超过 70 元/m³ 的部分计取税金后列入相应部分之后。

3)施工机械使用费

施工机械使用费指消耗在建筑安装工程项目上的机械磨损、维修和动力燃料费用等。机械使用费按台班计算。

2.其他直接费

(1)冬雨季施工增加费。指在冬季、雨季施工期间为保证工程质量和安全生产所需增加的费用。包括增加施工工序,增设防雨、保温、排水等设施增耗的动力、燃料、材料以及因人工、机械效率降低而增加的费用。

(2)夜间施工增加费。指施工场地和公用施工道路的照明费用。一班制作业的工程,不计算此项费用。

(3)特殊地区施工增加费。指在高海拔和原始森林等特殊地区施工而增加的费用。其中高海拔地区的高程增加费,按规定直接进入定额;其他特殊增加费(如酷热、风沙),应按工程所在地区规定的标准计算,地方没有规定的不得计算此项费用。

(4)其他。包括施工工具、用具使用费,检验试验费,工程定位复测、工程点交、竣工场地清理费,工程项目及设备仪表移交生产前的维护观察费等。

3.现场经费

现场经费包括临时设施费和现场管理费。

1)临时设施费

临时设施费是指施工企业为进行建筑安装工程施工所必需的临时建筑物、构筑物和各种临时设施的建设、维修、拆除、摊销等费用。如:供风、供水(支线)、供电(场内)、夜间照明、供热系统及通信支线,土石料场,简易砂石料加工系统,小型混凝土拌和浇筑系统,木工、钢筋、机修等辅助加工厂,混凝土预制构件厂,场内施工排水,场地平整、道路养护及其他小型临时设施。

2)现场管理费

(1)现场管理人员的基本工资、辅助工资、工资附加费和劳动保护费。

(2)办公费。指现场办公用具、印刷、邮电、书报、会议、水、电、烧水和集体取暖(包括现场临时宿舍取暖)用燃料等费用。

(3)差旅交通费。指现场职工因公出差期间的差旅费、误餐补助费,职工探亲路费,劳动力招募费,职工离退休、退职一次性路费,工伤人员就医路费,工地转移费以及现场职工使用的交通工具、运行费、养路费及牌照费。

(4)固定资产使用费。指现场管理使用的属于固定资产的设备、仪器等的折旧、大修理、维修费或租赁费等。

(5)工具、用具使用费。指现场管理使用的不属于固定资产的工具、器具、家具、交通工具和检验、试验、测绘、消防用具等的购置、维修和摊销费。

(6)保险费。指施工管理用财产、车辆保险费,高空、水下、水上作业等特殊工种安全保险费等。

(7)其他费用。

(二)间接费

间接费主要由企业管理费、财务费和其他费用组成。

1.企业管理费

企业管理费指施工企业为组织施工生产经营活动所发生的费用。内容包括:

(1)管理人员的基本工资、辅助工资、工资附加费和劳动保护费。

(2)差旅交通费。指施工企业管理人员因公出差、工作调动的差旅费、误餐补助费,职工探亲路费,劳动力招募费,离退休职工一次性路费及交通工具油料、燃料、牌照、养路费等。

(3)办公费。指企业办公用具、印刷、邮电、书报、会议、水电、燃煤(气)等费用。

(4)固定资产折旧、修理费。指企业属于固定资产的房屋、设备、仪器等折旧及维修等费用。

(5)工具、用具使用费。指企业管理使用不属于固定资产的工具、用具、家具、交通工具、检验、试验、消防等的摊销及维修费用。

(6)职工教育经费。指企业为职工学习先进技术和提高文化水平按职工工资总额计提的费用。

(7)劳动保护费。指企业按照国家有关部门规定标准发放给职工的劳动保护用品的购置费、修理费、保健费、防暑降温费、高空作业、技术安全措施费以及洗澡用水、饮用水的燃料费等。

(8)保险费。指企业财产保险、管理用车辆等保险费用。

(9)税金。指企业按规定缴纳的房产税、管理用车船使用税、印花税等。

(10)其他。包括技术转让费、设计收费标准中未包括的应由施工企业承担的部分临时工程设计费、投标报价费、工程图纸资料费及工程摄影费、技术开发费、业务招待费、绿化费、公证费、法律顾问费、审计费、咨询费等。

2.财务费用

财务费用指企业为筹集资金而发生的各项费用,包括企业经营期间发生的短期融资利息净支出、汇兑净损失、金融机构手续费,企业筹集资金发生的其他财务费用,以及投标和承包工程发生的保函手续费等。

3.其他费用

指企业定额测定费及施工企业进退场补贴费。

(三)企业利润

指按规定应计入建筑、安装工程费用中的利润。

(四)税金

指国家对施工企业承担建筑、安装工程作业收入所征收的营业税、城市维护建设税和教育费附加。

(五)设备费

包括设备原价、运杂费、运输保险费和采购及保管费。

1.设备原价

(1)国产设备,以出厂价为原价,非定型和非标准产品,采用与厂家签订的合同价或询价。

(2)进口设备,以到岸价和进口征收的税金、手续费、商检费及港口费等各项费用之和为原价。

2.运杂费

指设备由厂家运至工地安装现场所发生的一切运杂费用。包括运输费、调车费、装卸费、包装绑扎费、大型变压器充氮费及可能发生的其他杂费。设备运杂费按占设备原价的百分比计算。

3.运输保险费

指在设备运输过程中的保险费用。

4.采购及保管费

指建设单位和施工企业在负责设备的采购、保管过程中发生的各项费用。

(1)采购保管部门工作人员的基本工资、辅助工资、工资附加费、劳动保护费、教育经费、办公费、差旅交通费、工具用具使用费等。

(2)仓库、转运站等设施的运行费、维修费、固定资产折旧费、技术安全措施费和设备的检验、试验费等。

(六)临时工程

1.施工供电工程

根据设计的电压等级、线路架设长度及所需配备的变配电造价指标或有关实际资料计算。

2.施工交通工程

按设计工程量乘以单价进行计算,也可根据工程所在地区造价指标或有关实际资料,采用扩大单位指标编制。

3.临时房屋建筑工程

包括施工仓库和办公、生活及文化福利建筑两部分。施工仓库,指为工程施工而临时兴建的设备、材料、工器具等仓库;办公、生活及文化福利建筑,指施工单位、建设单位(包括监理)在工程建设期所需的办公室、宿舍、招待所和其他文化福利设施等房屋建筑。

施工仓库建筑面积由施工组织设计确定,单位造价指标根据工程所在地实际情况确定。

办公、生活及文化福利建筑投资按建安工作量或按建筑面积由施工组织设计确定,单位造价指标根据工程所在地实际情况确定。

(七)独立费用

独立费用由建设管理费、生产准备费、科研勘测设计费、建设及施工场地征用费和其他五项组成。

1.建设管理费

指建设单位在工程项目筹建和建设期间进行管理工作所需的费用。包括项目建设管理费、工程建设监理费和联合调试费。

1)项目建设管理费

包括建设单位开办费和建设单位经常费。

(1)建设单位开办费。指新组建的工程建设单位,为开展工作所必需购置的办公及生活设施、交通工具等,以及其他用于开办工作的费用。

(2)建设单位经常费。包括建设单位人员经常费和工程管理经常费。

建设单位人员经常费:指建设单位从批准组建之日起至完成该工程建设管理任务之日止,需开支的经常费用。主要包括工作人员基本工资、辅助工资、工资附加费、劳动保护费、教育经费、办公费、差旅交通费、会议费、交通车辆使用费、技术图书资料费、固定资产折旧费、零星固定资产购置费、低值易耗品摊销费、工具用具使用费、修理费、水电费、采暖费等。

工程管理经常费:指建设单位从筹建到竣工期间所发生的各种管理费用。包括该工程建设过程中用于资金筹措、召开董事(股东)会议、视察工程建设所发生的会议和差旅等费用;建设单位为解决工程建设涉及到的技术、经济、法律等问题需要进行咨询所发生的费用;建设单位进行项目管理所发生的土地使用税、房产税、合同公证费、审计费、招标业务费等;施工期所需的水情、水文、泥沙、气象监测费和报汛费;工程验收费和由主管部门主持对工程设计进行审查、对安全进行鉴定等费用;在工程建设过程中,必须派驻工地的公安、消防部门的补贴费以及其他属于工程管理性质开支的费用。

2)工程建设监理费

按照国家及省、自治区、直辖市计划(物价)部门有关规定计收。

3)联合调试费

指水文建设项目中的计算机测流控制系统、自记水位计,水文数据中心、水情中心、水环境监测中心等的仪器设备及软件连接安装完毕,在竣工验收前,进行整体试运转所需要的费用。

2. 生产准备费

(1)生产职工培训费。指工程在竣工验收之前,生产及管理单位为保证生产、管理工作能顺利进行,需对工人、技术人员与管理人员进行培训所发生的费用。

费用内容包括基本工资、辅助工资、工资附加费、劳动保护费、差旅交通费、实习费,以及其他属于职工培训开支的费用。培训人数按水文测站实际情况确定。国内培训按与仪器设备供应商的费用标准计算;国外培训按国家规定标准计算。

(2)管理用具购置费。指为保证新建项目的正常生产和管理所必需购置的办公及生活用具等费用。

费用内容包括办公室、会议室、资料档案室、阅览室、文娱室、医务室等公用设施需要配置的家具、器具。

(3)备品备件购置费。指工程在投产运行初期,由于易损件消耗和可能发生事故,而必须准备的备品备件和专用材料的购置费。不包括设备价格中配备的备品备件。

(4)工器具及生产家具购置费。指按设计规定,为保证初期生产正常运行所必需购置的不属于固定资产标准的生产工具、器具、仪表、生产家具等的购置费。不包括设备价格中已包括的专用工具。

3. 科研勘测设计费

包括工程科学研究试验费和工程勘测设计费。

(1)工程科学研究试验费。指在工程建设过程中,为解决工程的技术问题,而进行必要的科学研究试验所需的费用。

(2)工程勘测设计费。指可行性研究、初步设计和施工图设计阶段(含招标设计)发生的勘测费、设计费。勘测设计的工作内容和范围按各设计阶段编制规程执行。

4. 建设及施工场地征用费

指设计确定的建设及施工场地范围内的永久征地及临时占地,以及地上附着物的迁建补偿费用。包括土地补偿费,安置补助费,青苗、树木等补偿费,以及建筑物迁建和居民迁移费等。具体开支标准按有关规定计算。

5. 其他

(1)定额编制管理费。指为水文测验设施工程定额的测定、编制、管理等所需的费用。

(2)工程质量监督费。指为保证工程质量而进行的检测、监督、检查工作等费用。

(八)预备费

包括基本预备费和价差预备费两项。

(1)基本预备费。主要为解决在施工过程中,经上级批准的设计变更所增加的工程项目和费用。计算方法主要根据工程规模、施工年限和地质条件等不同情况,按土建工程、设备及安装工程、临时工程、独立费用投资合计数的百分比计算。

(2)价差预备费。主要为解决在工程建设过程中,因人工工资、材料和设备价格上涨以及费用标准调整而增加的投资。

五、定额的使用

水文设施工程概、预算定额在水文设施工程建设中起着重要作用。该定额主要适用于水文系统的各种过河缆道、浮标投掷器、自记水位计、测验道路等的新建和扩建工程的概、预算编制。在计算水文设施建设工程过程中,除采用工程定额外,还应结合现行费用定额,并了解定额的工作内容,能根据工程部位、施工方法、施工机械和其他施工条件正确地选用定额项目,做到不错项、不漏项、不重项。

第四章　招标投标管理

第一节　招标投标概述

一、招标投标的含义与基本特性

(一)招标投标的含义

招标投标,是招标人应用技术经济评价方法和市场竞争机制,有组织地开展择优成交的一种规范和科学的特殊交易方式。通常是由招标人或招标人委托的招标代理机构,通过招标公告或投标邀请信,发布招标采购的信息与要求,邀请潜在的投标人按照事先规定的程序和办法,在同等条件下通过投标竞争,从中择优选定中标人并与其签订合同,达到招标人节约投资、保证质量和资源优化配置的目的。

这种交易方式包括招标和投标两个最基本方面。一方面是招标人以一定的方式邀请不特定或一定数量的投标人来投标;另一方面是投标人响应招标要求参加投标竞争。没有招标,就不会有供应商或承包商的投标;没投标,招标人的招标就不能得到响应,也就没有了后续的开标、评标、定标和合同签订等一系列的招标过程。通常所说招标,是指招标投标的简称,包含招标与投标这一对相互对应的两个方面。

招标投标,是在市场经济条件下一种有组织的特殊的交易行为,是当今公认的公开、公平、公正的和流行的采购方法,也是建设项目采购的首选方式。

(二)招标投标的基本特性

(1)组织性。招标投标是一种有组织、有计划的特殊的商业交易活动。它必须按照《招标投标法》等有关法律、法规和招标文件确定的规则、标准、方法和程序进行,处处体现高度的组织性。

(2)公开性。主要体现在招标活动的信息公开,开标的程序和内容公开,评标标准和评标方法公开,中标的结果公开。招标投标交易方式的公开性特征使合格的投标者能以均等的机会参与竞争,在竞争中充分展示其实力,实现投标人期望的效能与效益。

(3)公平性与公正性。主要体现在对所有投标者平等相待、一视同仁,不得有歧视某一投标者的规定和行为;依法组织评标委员会,与投标人有利害关系的人员不得成为评标委员会成员;评标活动由依法组建的评标委员会负责。招标的组织性、公开性以及严格的保密原则和保密措施,是投标人在招标过程中进行公平、公正竞争的重要保证。

(4)一次性。招标与投标的交易行为不同于一般商品交换,投标人应邀参加投标,只能进行一次性秘密报价。在投标文件递交截止日期以后,投标文件不得撤回或进行实质性条款的修改。

(5)规范性。招标投标过程应全面执行《招标投标法》和必须强制执行的程序规定,规范操作。

(6)时限性。招标公告(或投标邀请书)发布后,投标截止时间与开标时间等重要工作程序都必须按规定的时间进行,有严格的时限要求。

二、招标方式

(一)我国《招标投标法》规定的招标方式

(1)公开招标。是指招标人以招标公告的形式邀请不特定的法人或者其他组织参加投标的一种招标方式。

(2)邀请招标。是指招标人以投标邀请书的形式邀请特定的法人或者其他组织参加投标的一种招标方式。

这两种方式实质性的区别是竞争程度不一样,公开招标要比邀请招标的竞争程度激烈得多,效果也要好。

国家规定,重点建设项目以及使用国有资金或者国有资金投资占控股或者主导地位的工程建设项目,应当公开招标。有下列情形之一的,经批准可以进行邀请招标:①项目技术复杂或有特殊要求,只有少量几家潜在投标人可供选择的;②受自然地域环境限制的;③涉及国家安全、国家秘密或者抢险救灾,适宜招标但不宜公开招标的;④拟公开招标的费用与项目的价值相比不值得的;⑤法律、法规规定不宜公开招标的。

需要特别说明的是,议标是采购人采取直接与一家或几家投标人通过谈判达成交易的一种采购方式。它是在非公开状态下采取一对一谈判,很难对其进行有效的行政监督,弊端较多。在我国《招标投标法》中没有把议标列入法定的招标方式。但一些不适宜采取招标采购的,谈判采购仍是采购交易的方式之一。

(二)招标的组织形式

招标的组织形式可分为招标人自行招标和招标人委托招标机构代理招标两种形式。

(1)招标人自行招标。《招标投标法》规定,招标人具有编制招标文件和组织评标能力的,可以自行办理招标事宜;依法必须进行招标的项目,招标人自行办理招标事宜的,应当向有关行政监督部门备案。

(2)招标人委托招标机构代理招标。招标人可以委托招标机构代理招标,招标人有权自行选择招标代理机构,招标代理机构应当在招标人委托范围内办理招标事宜。

三、工程招标投标范围

《招标投标法》规定,大型基础设施、公用事业等关系社会公共利益、公众安全的项目,全部或者部分使用国有资金投资或者国家融资的项目,使用国际组织或者外国政府贷款、援助资金的项目等工程建设项目,包括项目的勘察、设计、施工、监理以及与工程建设有关的重要设备、材料等项采购必须进行招标。

(一)必须进行招标的工程建设项目的范围和规模标准

(1)关系社会公共利益、公众安全的基础设施项目,如能源项目、交通运输项目、邮电通信项目、城市公共设施项目、生态环境保护项目、其他基础设施项目等。

(2)关系社会公共利益、公众安全的公用事业项目,如市政工程项目、科技教育项目、体育旅游项目、卫生社会福利项目、其他公用事业项目等。

(3)使用国有资金投资项目,如使用各级财政预算资金的项目、使用纳入财政管理的各种政府专项建设基金的项目、使用国有企事业单位自有资金并且国有资金投资者实际拥有控制权的项目等。

(4)国家融资项目,如使用国家发行债券所筹资金的项目、使用国家对外借款或者担保所筹资金的项目、使用国家政策性贷款的项目、国家授权投资主体融资的项目、国家特许的融资项目等。

(5)使用国际组织或者外国政府资金的项目,如使用世界银行、亚洲开发银行等国际金融组织贷款的项目,使用外国政府及其机构贷款的项目,使用国际组织或者外国政府援助资金的项目等。

(二)必须进行招标的工程建设项目的规模标准

上述规定范围内的各类工程建设项目,包括项目的勘察设计、施工、监理以及与工程建设有关的重要设备、材料等项采购,达到下列标准之一的,必须进行招标:①施工单项合同估算价在 200 万元人民币以上的;②重要设备、材料等货物采购,单项合同估算价在 100 万元人民币以上的;③勘察、设计、监理等服务采购,单项合同估算价在 50 万元人民币以上的;④单项合同估算价低于①、②、③项规定的标准,但项目总投资额在 3 000 万元人民币以上的。

各省、自治区、直辖市人民政府根据实际情况,可以规定本地区必须进行招标的具体范围和规模标准。但不得缩小上述规定的招标范围。

(三)可以不招标的情况

(1)建设项目的勘察、设计,采用特定专利或专有技术的,或者其建筑艺术造型有特殊要求的,经项目主管部门批准,可以不进行招标。

(2)建设项目的工程施工,有下列情况之一的,经项目审批部门批准,可以不进行施工招标:①涉及国家安全、国家秘密或者抢险救灾而不适宜招标的;②属于利用扶贫资金实行以工代赈需要使用农民工的;③施工主要技术采用特定的专利或者专有技术的;④施工企业自建自用的工程,且该施工企业资质等级符合工程要求的;⑤在建工程追加的附属小型工程或主体加层工程,原中标人仍具有承包能力的;⑥法律、行政法规规定的其他情形。

四、水文水资源设施工程建设项目招标范围

水文水资源设施工程建设项目招标范围分为建筑安装工程和设备、工器具购置。主要包括:①测验河段基础设施工程;②水位观测设施工程;③流量及泥沙测验设施工程;④降水、蒸发、地下水、水质测验设施及水文实验站设施;⑤生产生活用房及附属配套工程建设;⑥供电、给排水、取暖、通信设施建设;⑦其他设施建设;⑧技术装备(参照《水文基础设施建设及技术标准》(SL276—2002)水文测站及测站以上水文机构技术装备标准)。

五、招标方案的核定

招标人根据项目实际需要而确定的招标范围、招标方式以及招标的组织形式,简称为招标方案,它是招标人研究是否采用招标和如何招标的决策意见。政府规定:依法必须进

行招标的工程建设项目,要按照工程建设项目审批管理规定,凡应报送项目审批部门审批的,必须在报送的可行性研究报告中增加有关招标方案的内容,并要求将规定的表格(见表4-1)作为可行性研究报告的附件与可行性研究报告一同报送。项目审批部门在批准项目可行性研究报告时,依据法律、法规规定的权限,对项目业主拟定的招标方案内容提出核准或者不予核准的意见(见表4-2)。

表 4-1　招标基本情况表

内容	招标范围		招标组织形式		招标方式		不采用招标方式	招标估算金额(万元)	备注
	全部	部分	自行	委托	公开	邀请			
勘察									
设计									
建筑工程									
安装工程									
监理									
设备									
重要材料									
其他									

情况说明:

建设单位盖章

年　月　日

表 4-2　审批部门核准意见表

内容	招标范围		招标组织形式		招标方式		不采用招标方式	备注
	全部	部分	自行	委托	公开	邀请		
勘察								
设计								
建筑工程								
安装工程								
监理								
设备								
重要材料								
其他								

审批部门意见说明:

审批部门盖章

年　月　日

第二节　工程招标投标程序

工程建设项目招标投标程序是对有关法律、法规所规定的建设工程项目施工招标程序进行的具体细化。工程建设项目工程招标投标活动的程序可以用图4-1所示的流程图表示。

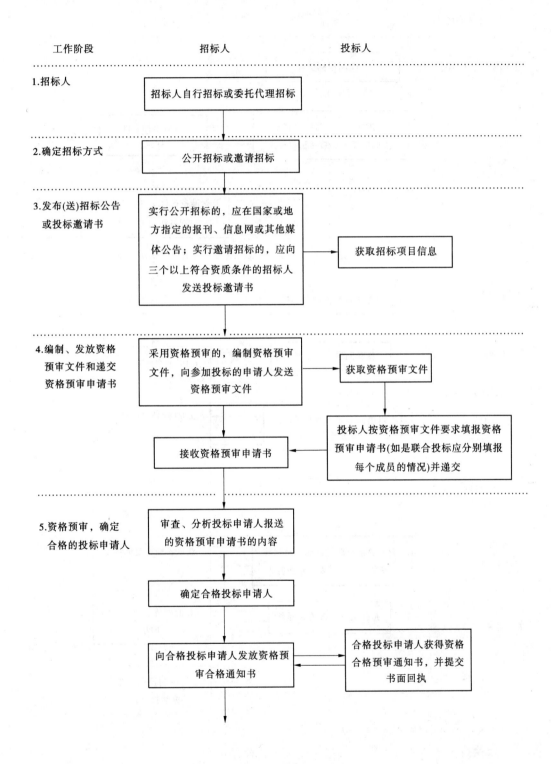

图 4-1　工程招标投标程序流程图

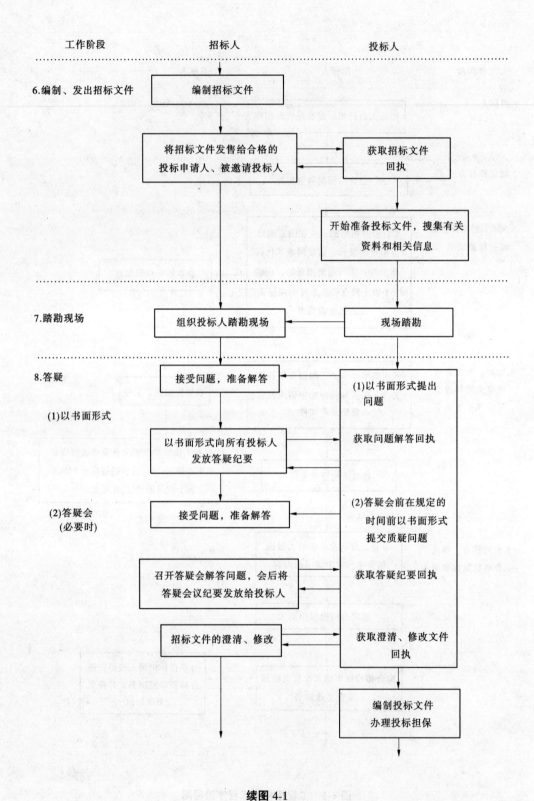

| 工作阶段 | 招标人 | 投标人 |

6.编制、发出招标文件

编制招标文件

将招标文件发售给合格的投标申请人、被邀请投标人 → 获取招标文件回执

开始准备投标文件，搜集有关资料和相关信息

7.踏勘现场

组织投标人踏勘现场 ← 现场踏勘

8.答疑

接受问题，准备解答 ← (1)以书面形式提出问题

(1)以书面形式

以书面形式向所有投标人发放答疑纪要 → 获取问题解答回执

(2)答疑会 (必要时)

接受问题，准备解答 ← (2)答疑会前在规定的时间前以书面形式提交质疑问题

召开答疑会解答问题，会后将答疑会议纪要发放给投标人 → 获取答疑纪要回执

招标文件的澄清、修改 → 获取澄清、修改文件回执

编制投标文件办理投标担保

续图 4-1

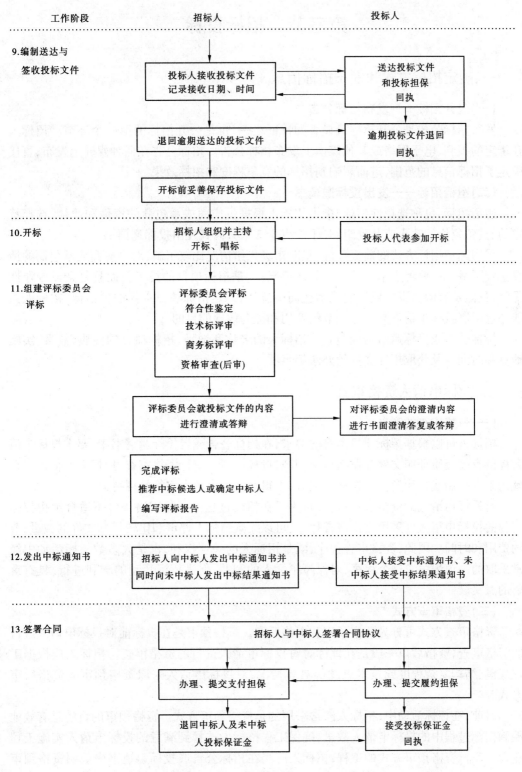

工作阶段	招标人	投标人
9.编制送达与 签收投标文件	投标人接收投标文件 记录接收日期、时间	送达投标文件 和投标担保 回执
	退回逾期送达的投标文件	逾期投标文件退回 回执
	开标前妥善保存投标文件	
10.开标	招标人组织并主持 开标、唱标	投标人代表参加开标
11.组建评标委员会 评标	评标委员会评标 符合性鉴定 技术标评审 商务标评审 资格审查(后审)	
	评标委员会就投标文件的内容 进行澄清或答辩	对评标委员会的澄清内容 进行书面澄清答复或答辩
	完成评标 推荐中标候选人或确定中标人 编写评标报告	
12.发出中标通知书	招标人向中标人发出中标通知书并 同时向未中标人发出中标结果通知书	中标人接受中标通知书、未 中标人接受中标结果通知书
13.签署合同	招标人与中标人签署合同协议	
	办理、提交支付担保	办理、提交履约担保
	退回中标人及未中标 人投标保证金	接受投标保证金 回执

续图 4-1

第三节 招标投标

一、确定招标方式和发布招标信息

(一)公开招标——发布招标公告

发布招标公告是公开招标最显著的特征之一,也是公开招标的第一个环节。招标人在指定的报刊、电子网络或其他媒体上发布招标公告。招标公告在何种媒介上发布,直接决定了招标信息的范围,进而影响到招标的竞争程度和招标效果。

(二)邀请招标——发出投标邀请书

邀请招标,也称选择性招标,指由招标人根据供应商或承包商的资信和业绩,选择特定的、具备资格的法人或其他组织(不能少于3家),向其发出投标邀请书。

采用邀请招标方式的前提条件,是对市场供给情况比较了解,对供应商或承包商的情况比较了解。还要考虑招标项目的具体情况:一是招标项目的技术新而且复杂或专业性很强,只能从有限范围的供应商或承包商中选择;二是招标项目本身的价值低,招标人只能通过限制投标申请人数来达到节约费用和提高效率的目的。

招标公告或投标邀请书应当载明招标人的名称和地址,招标项目的性质、数量、实施地点和时间以及获取招标文件的办法等事项。

二、投标申请人资格审查

(一)资格审查的意义

招标人可以根据招标项目本身的要求,在招标公告或者投标邀请书中,要求投标申请人提供有关资质证明文件和业绩情况,并对投标申请人进行资格审查,招标人不得以不合理的条件限制或排斥潜在的投标申请人,不得对投标申请人实行歧视待遇。

对投标申请人的资格进行审查,是为了在招标过程中剔除资格条件不适合承担招标工程的投标申请人。采用资格审查程序,可以缩减招标人评审和比较投标文件的数量,节约费用和时间。因此,资格审查程序,既是招标人的一项权利,也是大多数招标活动中经常采取的一道程序。这个程序,对保障招标人的利益,促进招标活动的顺利进行,具有重要的意义。

(二)资格审查方式

资格审查方式可分为资格预审和资格后审。资格预审是在投标前对投标申请人进行的资格审查;资格后审一般是在评标时对投标申请人进行的资格审查。招标人应根据工程规模、结构复杂程度或技术难度等具体情况,对投标申请人采取资格预审或资格后审方式。

目前,在招标活动中,招标人经常采用的是资格预审方式。资格预审的目的是有效地控制招标过程中的投标申请人数量,确保工程招标人选择到满意的投标申请人实施工程建设。实行资格预审方式的工程,招标人应当在招标公告或投标邀请书中载明资格预审的条件和获取资格预审文件的时间、地点等事项。投标申请人隐瞒事实、弄虚作假、伪造相关资料的,招标人应当拒绝其参加投标。在资格预审合格的投标申请人过多时,招标人可以从中选择不少于 7 家资格预审合格的投标申请人参加投标。

对于一些工期要求比较紧,工程技术、结构不复杂的项目,为了争取早日开工,可不进行资格预审,而进行资格后审。即在招标文件中加入资格审查的内容,投标人在报送投标文件的同时还应报送资格审查资料,评标文件不予评审。

(三)资格审查内容

无论是资格预审还是后审,都是主要审查投标申请人是否符合下列条件:

(1)具有独立订立合同的权利;

(2)具有圆满履行合同的能力,包括专业、技术资格和能力,资金、设备和其他物质设施状况,管理能力,经验、信誉和相应的工作人员;

(3)以往承担类似项目的业绩情况;

(4)没有处于被责令停业,财产被接管、冻结、破产状态;

(5)在最近几年内(如最近 3 年内)没有与合同有关的犯罪或严重违约、违法行为。

此外,如果国家对投标申请人的资格条件另有规定的,招标人必须依照其规定,不得与这些规定相冲突或低于这些规定的要求。在不损害商业秘密的前提下,投标申请人应向招标人提交能证明上述有关资质和业绩情况的法定证明文件或其他资料。

三、招标文件编制与发放

招标文件是招标人向投标申请人发出的,旨在向其提供为编写投标文件所需的资料并向其通报招标投标将依据的规则和程序等项目内容的书面文件,是招标投标过程中最重要的文件之一。一般情况下,在发布招标公告或发出投标邀请书前,招标人或其委托的招标代理机构应根据招标项目的特点和要求编制招标文件。

(一)招标文件的内容

招标文件应当包括招标项目的技术要求、对投标申请人资格审查的标准、投标报价要求和评标标准等所有实质性要求和条件以及拟签订合同的主要条款。国家对招标项目的技术、标准有规定的,招标人应当按照其规定在招标文件中提出相应要求。招标项目需要划分标段、确定工期的,招标人应当合理划分标段、确定工期,并在招标文件中载明。

一般情况下,招标文件应当包括下列内容:

(1)投标须知,包括工程概况,招标范围,资格审查条件,工程资金来源或者落实情况(包括银行出具的资金证明),标段划分,工期要求,质量标准,现场踏勘和答疑安排,投标文件编制、提交、修改、撤回的要求,投标报价要求,投标有效期,开标的时间和地点,评标的方法和标准等;

(2)招标工程的技术要求和设计文件;

(3)采用工程量清单招标的,应当提供工程量清单;

(4)投标函的格式及附录;

(5)拟签订合同的主要条款;

(6)要求投标申请人提交的其他材料。

(二)招标文件的发出

根据上述规定,招标人应向合格的投标申请人发出招标文件。发出招标文件时,可适当收取工本费和设计文件押金。投标申请人收到招标文件、图纸和有关资料后,应认真核对,核对无误后,应以书面形式予以确认。

四、编制工程标底

标底是我国工程招标中的一个特有概念,是招标人根据招标项目的具体情况,依据国家统一的工程量计算规则、计价依据和计价办法计算出来的工程造价,是招标人对建设工程预算的期望值。招标人设有标底的,应当依据国家规定的工程量计算规则及招标文件规定的计价方法和要求编制标底,并在开标前保密。工程标底是招标人控制投资、掌握招标项目造价的重要手段,工程标底在计算时要力求做到科学合理、计算准确。一个招标工程只能编制一个标底,评标委员会应当按照招标文件确定的评标标准和方法,对投标文件进行评审和比较,并对评标结果签字确认;没有标底的,应当有参考标底。

五、踏勘现场与答疑

(一)踏勘现场

踏勘现场是指招标人组织投标申请人对工程现场场地和周围环境等客观条件进行的现场勘察,招标人根据招标项目的具体情况,可以组织投标申请人踏勘项目现场。

投标人到现场调查,可进一步了解招标人的意图和现场周围的环境情况,以获取有用的信息并据此做出是否投标或投标策略以及投标报价。招标人应主动向投标申请人介绍所有施工现场的有关情况。

投标申请人对影响工程施工的现场条件进行全面考察,包括水文、水资源、地理、地质、气候、法律、环境等情况,对工程项目一般应至少了解下列内容:

(1)施工现场是否达到招标文件规定的条件;

(2)施工的地理位置和地形、地貌、管线设置情况;

(3)施工现场的水文、水资源、地质、土质、地下水位等情况:

(4)施工现场的气候条件,如气温、湿度、风力等;

(5)现场的工作条件,如交通、供水、供电、污水排放等;

(6)临时用地、临时设施搭建等,即工程施工过程中临时使用的工棚,堆放材料的库房,以及这些设施所占的地方等。

投标人在踏勘现场中如有疑问,应在招标人答疑前以书面形式向招标人提出,以便于得到招标人的解答。投标人踏勘现场发现的问题,招标人可以书面形式答复,也可以在投标预备会上解答。

(二)答疑

答疑一般采取书面形式进行,必要时也可召开招标文件答疑会。投标人对招标文件的疑问,勘察现场的疑问等,都可以在答疑会上得到澄清。答疑会结束后,由招标人整理会议记录和解答内容(包括会上口头提出的询问和解答);并以书面形式将所有问题及解答内容向所有获得招标文件的投标人发放。

六、投标文件编制与送达

（一）投标文件的内容

投标文件应按招标文件的要求进行编制。投标文件应当包括下列内容：

(1)投标函；

(2)施工组织设计或者施工方案；

(3)投标报价；

(4)招标文件要求提供的其他材料。

招标项目属于建设施工的，投标文件的内容应当包括拟派出的项目负责人与主要技术人员的简历、业绩和拟用于完成招标项目的机械设备等。招标文件允许投标人提供备选标的，投标人可以按照招标文件的要求提交替代方案，并做出相应报价做备选标。投标人根据招标文件载明的项目实际情况，拟在中标后将中标项目的部分非主体、非关键性工作进行分包的，应当在投标文件中载明。招标人可以在招标文件中要求投标人提交投标担保。投标担保可以用投标保函或者投标保证金的方式。投标保证金可以使用支票、银行汇票等，一般不得超过投标总价的 2%，最高不得超过 50 万元。投标人应按照招标文件要求的方式和金额，将投标保函或者投标保证金随投标文件提交招标人。

（二）投标文件的送达与签收

投标人应当在招标文件要求提交投标文件的截止时间前，将投标文件密封送达招标文件规定的地点。招标人收到投标文件后，应当向投标人出具标明签收人和签收时间的凭证，并妥善保存投标文件。在开标前，任何单位和个人均不得开启投标文件。在招标文件要求提交投标文件的截止时间后送达的投标文件，为无效的投标文件，招标人应当拒收。

为了保证充分竞争，对于投标人少于 3 个的，应当重新招标。

（三）投标文件的补充、修改或撤回

投标人在招标文件要求提交投标文件的截止时间前，可以补充、修改或者撤回已提交的投标文件。

投标文件的补充是指对投标文件中遗漏和不足的部分进行增补，投标文件的修改是指对投标文件中已有的内容进行修订。补充和修改必须在提交投标文件截止日期前进行。补充、修改的内容为投标文件的组成部分，也应当以密封的方式在规定的截止时间以前送达，招标人要严格履行签收登记手续，并存放在安全保密的地方，在开标时一并拆封。在招标文件要求提交投标文件的截止时间后送达的补充或者修改的内容无效。

在投标截止日期之前，投标人也有权撤回已经送达的投标文件。投标文件的撤回是指收回全部投标文件，或者放弃投标，或者以新的投标文件重新投标。招标投标活动实际上是一个缔结合同的过程，是否投标完全取决于投标人的意愿。所以在投标截止日期之前，允许投标人撤回投标文件，但撤回已经提交的投标文件必须以书面形式通知招标人，以备核查。如果在投标截止日期之后，投标人撤回已经递交的投标文件，目前国际上通用的做法是没收投标保证金。

第四节　开标、评标和中标

一、开标

所谓开标,就是在投标截止时间后,由招标人主持,邀请所有投标人参加。招标人依据招标文件规定的时间和地点,开启投标人提交的投标文件,公开宣布投标人的名称、投标价格及投标文件中的其他主要内容。开标应当在招标文件确定的提交投标文件截止时间的同一时间公开进行,开标地点也应当为招标文件中预先确定的地点。

开标时,由投标人或者其推举的代表检查投标文件的密封情况,也可以由招标人委托的公证机构检查并公证;经确认无误后,由工作人员当众拆封,宣读投标人名称、投标价格和投标文件的其他主要内容。招标人在招标文件要求提交投标文件的截止时间前收到的所有投标文件,开标时都应当当众予以拆封、宣读。

开标过程应当记录,并存档备查。

在开标时,投标文件出现下列情形之一的,应当作为无效投标文件,不得进入评标:

(1)投标文件未按照招标文件的要求予以密封的;

(2)投标文件中的投标函未加盖投标人的企业及企业法定代表人印章的,或者企业法定代表人委托代理人没有合法、有效的委托书(原件)及委托代理人印章的;

(3)投标文件的关键内容字迹模糊、无法辨认的;

(4)投标人未按照招标文件的要求提供投标保函或者投标保证金的;

(5)组成联合体投标的,投标文件未附联合体各方共同投标协议的。

二、评标和中标

评标是审查确定中标人的必经程序,是保证招标成功的重要环节。因此,为了确保评标的公正性,评标不能由招标人或其代理机构独自承担,而应组成一个由有关专家和人员参加的评标委员会,负责依据招标文件规定的评标标准和方法,对所有投标文件进行评审,向招标人推荐中标候选人或者直接确定中标人。

招标人应当采取必要的措施,保证评标在严格保密的情况下进行。任何单位和个人不得非法干预、影响评标的过程和结果。评标委员会应当按照招标文件确定的评标标准和方法,对投标文件进行评审和比较。评标分为初步评审和详细评审两个阶段进行,对投标文件审查分为重大偏差和细微偏差。评标委员会完成评标后,应当向招标人提出书面评标报告,并推荐合格的中标候选人。招标人根据评标委员会提出的书面评标报告和推荐的中标候选人确定中标人。招标人也可以授权评标委员会直接确定中标人。

第五节　签订合同

招标人和中标人应当自中标通知书发出之日起30日内,按照招标文件和中标人的投标文件订立书面合同,招标人和中标人不得再行订立背离合同实质性内容的其他协议。

签订合同协议应依据《中华人民共和国合同法》(简称《合同法》)、有关法律法规和招标文件、中标的投标文件,以及中标通知书。招标人与中标人不得通过合同谈判改变原招标文件、投标文件的实质性内容,或含有与国家现行的法律法规相抵触的内容。招标人和中标人合同谈判的洽谈纪要(如有时)应作为工程施工合同的组成部分。

招标文件要求中标人提交履约担保的,中标人应在规定的时间内按招标文件的规定提交;同时,招标人应向中标人提交同等数额的工程款支付担保。提交履约担保后,招标人将中标结果通知所有未中标的投标人,并退回投标保证金(无息)。因违反规定被没收的投标保证金不予退回(如有时)。

中标人与招标人未订立合同的,投标保证金不予退还并取消其中标资格,给招标人造成的损失超过投标保证金数额的,应当对超过部分予以赔偿;没有提交投标保证金的,应当对招标人的损失承担赔偿责任。

第五章 合同管理

第一节 合同的基本概念

一、合同的基本含义

我国《合同法》规定,合同是平等主体的自然人、法人、其他组织之间设立、变更、终止民事权利义务关系的协议。其法律特征是:

(1)合同是民事行为,是民事主体设立、变更、终止民事义务关系的民事法律行为。

(2)合同制度是国家规定的一项重要的民事法律制度,具有强制性。合同是一种法律文件,合同双方当事人订立合同是一种法律行为。合同一经依法订立即有法律约束力。

(3)合同是双方行为,是双方当事人处于彼此利害相反的地位,互相做出意思表示。前一个意思表示称为要约,后一个意思表示称为承诺。由双方当事人按照法律规范要求,要约与承诺达成一致,达成协议,从而产生各方所预期的法律后果。合同必须符合相关法律和法规。

(4)合同当事人的法律地位平等。民事合同是法律地位平等的当事人之间表示意思一致的法律行为。如果双方的法律地位不平等,就很难真实地表达自己的意思。这是民事合同与行政合同的根本区别。行政合同是行政主体之间签订的有关设立、变更或终止行政关系的协议,其当事人的法律地位是不平等的。

二、合同的基本原则

合同的基本原则是指当事人订立合同,行使合同权利,履行合同义务必须遵守的基本准则。

(1)平等原则。平等原则是指合同当事人的法律地位平等,合同主体受平等的法律保护,不允许任何主体有凌驾于他人之上的优越地位,任何一方都不得把自己的意志(如单方面提出不平等条款)强加于另一方。

(2)自愿原则。当事人依法享有自愿订立合同的权利,任何单位和个人不得非法干预。除国家下达的指令性任务或国家订货任务外,当事人有权依照自己的意愿自主决定签订合同与否。其他任何人,包括上级主管部门在内的任何机构,都不得干预,不得违背当事人的意愿,强迫当事人订立合同或不订立合同。合同权利可由当事人在法定范围内依自己的意愿取得,也可依自己的意愿转让;合同法律关系可由当事人在法定范围内依自己的意愿变更或终止。

(3)诚实信用原则。一切民事活动都应遵循诚实信用原则。合同当事人行使权利、履行义务应当遵循诚实信用原则。一是要求合同当事人在合同关系中讲究信用,恪守诺言;

二是合同当事人必须具备诚实、守信、善意的主观心理状态,保证合同的真实性,并从善意的心态出发,保护相对人的利益,平衡当事人之间以及当事人与社会之间的利益关系。双方当事人都必须以善意的方式尊重对方和社会利益,正确行使合法权利,诚实履行义务。

(4)等价有偿的公平原则。合同双方当事人应当遵循公平原则确定双方的权利和义务。所谓公平,是指以利益均衡作为价值判断标准和调整民事主体之间的物质利益关系。合同当事人中,任何一方既要享有权利,也要承担相应的义务,权利和义务要求对等,除非法律另有规定或当事人另有约定。

(5)合法原则。《合同法》规定:"当事人订立、履行合同,应当遵守法律、行政法规,尊重社会公德,不得扰乱社会经济秩序,损害社会公共利益。"合法原则,有两方面的含义:一方面要求当事人遵守法律、行政法规,依法订立和履行合同;另一方面是法律保护当事人的合法权益。合法原则对当事人的要求:一是合同主体必须依照法律规定的形式和必要的手续,订立合同,履行合同;二是当事人应该共同维护国家利益和社会公共利益,一切活动都不能损害国家利益和社会公共利益,不得扰乱社会经济秩序。

三、合同的订立

(一)合同的一般条款

根据《合同法》规定,合同一般包括以下条款:

(1)当事人的名称或姓名及其住所。当事人是合同的主体,合同应明确记载当事人的名称或当事人姓名及其住所。记载当事人的住所有利于合同的履行及合同纠纷的解决。

(2)合同标的。合同标的,即合同法律关系的客体,是合同当事人双方权利和义务共同指向的对象。合同标的是任何合同都不可缺少的重要内容。合同标的的表现形式多种多样,可以是物,可以是劳务,可以是资金,可以是工程项目,也可以是服务。

(3)数量和质量。数量是合同标的物的具体化,是确定标的特征的重要条件。质量是指合同标的内在素质和外观形态的综合指标。标的属于物的,一定要具体、详细写清标的名称、品种、规模、型号和执行技术标准。

(4)价款或报酬。价款或报酬是标的价金,也是一方取得标的所应支付的代价。价款是商品价值的货币表现形式,也是商品等价交换的结果;报酬是对完成一定劳务、某项服务、某项工程建设任务或工作任务的报酬,是等价有偿按劳付酬的体现。

(5)履行期限、地点和方式。履行期限是对合同履行的时间要求,是权利主体行使请求权的时间界限,是确认合同是否按期履行或延期履行的客观标准;履行地点,根据合同标的的具体情况或由双方当事人约定来确定。明确规定履行地点不仅对合同的实现有直接作用,而且关系到各种费用的支付;履行方式,根据合同内容的不同而不同,由双方当事人确定。

(6)违约责任。违约责任是指当事人不履行或部分不履行合同规定的义务所应承担的经济责任和法律责任。违约责任的规定是保证合同履行的主要条款。一般而言,双方当事人未规定违约责任条款不影响合同成立。

(7)争议解决方式。合同中有关争议解决方式的约定,有利于合同的履行。可供选择的争议解决方式主要有和解、调解、仲裁、诉讼。

(二)合同的形式

《合同法》规定:"当事人订立合同,有书面形式、口头形式和其他形式。法律、行政法规规定采用书面形式的,应当采用书面形式。当事人约定采用书面形式的,应当采用书面形式。"

1.口头形式合同

口头形式合同是当事人以直接对话的方式订立合同。口头合同只是当事人口头约定,正式场合不宜采用口头形式合同,即使已达成口头合同也需用文字尽快记录并加以确认。

2.书面形式合同

书面形式合同是当事人以书面文字表达协议内容的形式,包括合同书、信件及数据电文(电报、传真、电子数据交换和电子邮件)等。采用书面形式合同,虽然手续较复杂,不够便捷,但权利义务记载清楚,便于履行,发生纠纷时也容易举证和分清责任。书面形式合同大量应用于法人之间从事经济活动的各个领域。在现实经济活动中,书面形式合同还有多种具体形式。

(1)公证形式。公证形式是合同当事人约定或依据法律、行政法规规定,以公证机关对合同内容加以审查公证的合同形式。我国法律对合同的公证实行自愿原则。但一些重要合同,行政法规也可以规定必须实行公证。

(2)鉴证形式。鉴证形式是合同当事人约定或依据法律、行政法规规定,以政府合同管理机关对合同内容的真实性和合法性进行审查的合同形式。鉴证是政府对合同进行监督、管理的行政措施。

(3)批准形式。批准形式是指法律、行政法规规定某些类别的合同必须经政府有关主管机关审查批准的一种合同形式。合同的审批是政府对某些特殊合同的特殊要求,不由当事人自愿选择或自主决定。凡是法律、行政法规规定必须经政府批准的合同,不经批准就不能发生法律效力。

(4)登记形式。登记形式指当事人约定或依据法律、行政法规规定,将合同提交政府登记主管机关登记的一种合同形式。登记形式一般常用于不动产买卖合同。如房屋买卖、车辆和船舶转让合同,均需采用登记形式。

(5)其他形式。

(三)签订合同应注意的问题

一般说,在签订合同时,当事人应注意如下问题:

(1)了解市场。在签订合同前,当事人应进行市场调查,做到心中有数。

(2)了解对方。在签订合同前,对对方要进行必要调查,重点了解内容包括:①对方的主体资格;②对方的经营状况、财务状况;③近期的主要业绩和履行合同的能力;④对方的资信。如果对方当事人委托他人代签合同,一定要审查代理人是否得到授权,有无授权委托和委托事项、权限和期限等。

(3)是否需要对方提供履约担保。

(4)审查合同的内容、形式等。经双方协商取得一致意见后,在正式签字盖章前,要对合同文本进行审查。重点是:①合同主体的合法性;②合同内容是否符合有关法律和行政法规;③合同文本与协商意见是否一致,有无笔误或其他毛病,有无有失公平或明显对己不利的内容;④合同内容是否完备,有无互相矛盾的条款和含义不清的内容,有无需进一步明确和解释或双方理解不一致的内容或条款。

涉外合同应注明正本,还要有相应的译本。正本、译本都要严格审查。审查完毕,如无异议,由各方当事人及具体经办人签名或盖章,各方留存。

需审批、公证、鉴证、登记的,依法报送审批,按程序办理公证、鉴证、登记手续。

四、合同的履行

合同的履行,是指合同双方当事人按照法律、行政法规和合同规定的标的、数量和质量、价款或酬金、履行期限、履行方式、履行地点等,在约定的时间和地点,用适当的方式全面完成应尽的全部义务,达到订立合同的目的。合同的履行也可称为合同的实现或执行。

五、合同的变更、转让

(一)合同的变更

合同的变更,是指合同在没有履行或没有完全履行之前,由于实现合同的条件发生变化,合同关系的当事人依据法律规定的条件和程序,对原合同的某些条款及其内容进行修改、完善或补充。合同的变更,使原合同内容发生变化,并以变更后的合同代替原合同,当事人应当按照变更后的合同内容行使权利、履行义务。合同的变更,不能对改造部分产生效力,任何一方不能因合同变更要求对方对已履行部分恢复或返还。

(二)合同的转让

合同的转让,是指合同当事人依法将合同的全部或部分权利义务转让或转移给他人的合法行为。合同转让包括下述含义:一是合同主体的转让,一般是合同一方当事人将合同中的权利或义务全部或部分转让给合同当事人之外的第三方;二是合同转让不是合同内容的改变,即合同转让并不改变合同所约定的权利和义务;三是合同转让属于合法行为,不受他人干涉,受法律保护;四是合同转让应经过对方当事人同意或通知当事人,方可产生法律效力;五是合同转让涉及批准、登记、鉴证、公证等手续的,应履行有关手续,未按法律规定办理有关手续的,合同转让不会得到法律的认可。

六、合同权利义务的终止

合同权利义务的终止,是指合同依法成立后,由于某种法律事实的出现,使合同所确定的权利义务关系归于消灭,合同不再具有法律效力。只有依法成立的合同才存在合同权利义务终止问题,未成立的合同不存在合同终止问题,无效合同没有约束力,也没有终止问题。

合同权利义务终止的主要情况有:①因双方当事人权利义务已经履行完毕,当事人订立合同的目的已经达到,合同终止;②合同订立后,双方当事人并未履行或未完全履行完毕而提前终止。

七、合同的违约责任

违约责任是指合同当事人不履行合同或履行合同义务不符合约定所产生的民事责

任。违约责任的承担方式主要有:①继续履行;②支付违约金;③损失赔偿;④支付定金;⑤其他补救措施。

八、合同纠纷的解决

合同纠纷的解决方式有四种:

(1)合同纠纷的和解解决。合同双方当事人通过和解解决合同纠纷是一种法律行为,必须遵循一定的原则和程序达成和解解决的协议。一般采用与原合同相同的形式或更严格的形式,便于双方自觉履行。

(2)合同纠纷的调解解决,是指双方当事人在发生合同纠纷之后,在第三方的主持下,分清是非,在做出妥协让步的基础上,依照法律规定,双方自愿达成协议。

(3)合同纠纷的仲裁解决。仲裁,是指合同当事人在合同纠纷发生时,提请无直接利害关系的第三方,按照一定的程序做出对双方当事人都具有约束力的判断,从而解决双方的纠纷。仲裁必须遵循以下原则:①自愿原则;②以事实为依据、法律为准绳的原则;③当事人适用法律一律平等原则;④独立仲裁原则。仲裁必须依照《仲裁法》规定的程式和程序进行,仲裁做出的仲裁裁决具有法律效力。

(4)合同纠纷的诉讼解决,是指合同当事人依法向人民法院提起诉讼,请求人民法院行使国家审判权,依法解决合同纠纷,保护自身的合法权益。合同纠纷的诉讼解决,必须通过人民法院司法程序,具有更高的权威性和强制执行特点。

第二节　建设项目合同

我国《合同法》规定,建设项目合同是一种承包人进行工程建设,发包人支付价款的合同。建设项目合同是承诺合同、双务合同、有偿合同。合同双方当事人都有各自的权利和义务,在享有权利的同时,必须履行合同约定的各项义务。

(1)工程项目合同是一个合同群体。因为工程项目投资多,工期长,参与单位多,一般由多项合同组成一个合同群,这些合同之间分工明确,层次清楚,自然形成一个合同体系。

(2)合同的标的物仅限于工程项目涉及的内容。与一般的产品合同不同,工程项目合同涉及面主要是工程建筑、线路管网建设,以及设备、材料购置安装等,而且都是一次性过程。

(3)合同内容庞杂。与产品合同比较,工程项目合同庞大复杂。大型项目要涉及几十种专业,上百个工种,几万人作业,合同内容自然庞大复杂。如三峡水利水电工程,共签订78个大合同,5 000多个小合同,合同内容极其复杂。

(4)工程项目合同主体只能是法人。公民个人不能成为建设工程当事人。

(5)工程项目具有较强的国家管理性。工程项目标的物属于不动产,工程项目对国家、社会和人民生活影响较大,工程项目的合同订立必须符合政府的规定,在履行中必须接受政府的监督和检查。正因为如此,工程项目合同的形式,一般采用书面形式。

第三节 工程项目合同体系

合同管理贯穿于工程项目建设的全过程,在项目建设的各阶段都必须用合同的形式来约束各方的责任、权利和义务,是一个完整的体系。

一、工程项目前期咨询合同

工程项目前期咨询协议或合同,是在投资建设的决策阶段,涉及投资决策的正确与否,涉及工程项目的成败。因此,加强工程项目前期咨询阶段的协议或合同管理,就显得非常重要。前期咨询协议或合同的主要内容有以下几点。

(一)明确规定任务和目标

咨询单位要按合同规定的任务和目标开展工程项目的各项调查研究工作,咨询成果要达到约定的标准和深度要求,经过内外评审之后,按规定的数量按时向项目业主提供咨询成果,项目业主接受咨询成果后,要按约定支付咨询费用。

(二)明确项目业主和咨询工程师的义务

1.项目业主的义务

(1)项目业主要在合同规定的时间内,免费向咨询工程师提供与咨询服务有关的工程资料;

(2)项目业主负责协调外部关系,协助咨询工程师打通对外联系渠道,以便咨询工程师能收集到咨询工作所需要的信息,为咨询工程师完成咨询报告创造良好的外部环境;

(3)咨询工程师到现场办公的,项目业主要负责提供合同中规定的设备和设施以及其他办公条件;

(4)国外咨询工程师入境,项目业主要协助办理有关手续。

2.咨询工程师的义务

(1)按合同规定按时、保质地向项目业主提供工程项目咨询成果;

(2)要全面完成合同中规定的以咨询业务为中心的正常服务、附加服务和额外的服务;

(3)咨询工程师要用合理的技能和智慧,谨慎而勤奋地工作,要按照国家有关政策和合同规定范围行使职权,超越规定和职权范围时,要向项目业主请求批准;

(4)坚持"客观、公正、科学、可靠"的原则,尽职尽责,只能收取与咨询业务有关的正当的合理的报酬。

3.规定咨询单位应得的报酬

合同应规定咨询单位应得的报酬,包括支付的数量、支付方式、币种和支付次数。

工程咨询费用计取,国家发改委已经颁发了具体规定。

二、勘察设计合同

工程勘察设计合同是指根据建设工程的要求,查明、分析、评价建设场地的水文、水资源、地质地理环境特征和岩土工程条件等,编制建设工程勘察文件的协议。《合同法》规定："勘察、设计合同的内容包括提交有关基础资料和文件（包括概、预算）的期限、质量要求、费用以及其他协作条件等条款。"

勘察设计的合同条款的主要内容是：

(1)明确规定勘测设计单位应当完成的任务，就是向项目业主交付的图纸、文件、资料、说明、数据等。要写明提供每种文件资料的时间、份数、送交地点、接收手续，并写明违约的惩罚措施。

(2)要明确规定勘察设计质量要求。工程勘察质量要求包括工程测量、工程地质勘察、水文地质勘察质量。其任务是查明工程所在地的地形、地貌、地层土壤(岩石)性质、地质构造、水文水资源等方面的资料，为选址、设计、施工提供科学可靠的数据和依据。

工程设计质量要求是：初步设计在工程项目建议书和可行性研究报告指导下进行，其深度应满足比选和设计方案要求，满足设备材料订货、土地征用、施工组织设计和施工图设计的需要。施工图设计，其深度应满足土建施工、设备安装、工程预算、设备材料加工订货以及技术规范、工程标准的需要。

凡是达不到勘察设计有关质量合同条款要求的，签约方要承担违约责任，做出相应的经济赔偿。

(3)明确规定项目业主对勘察、设计单位的支持，包括提供给勘察设计单位的各种资料和数据及其他协作条件。

(4)要明确项目业主对勘察设计单位应支付的勘察设计费用。有关勘察设计的费用计算，目前应按照国家发改委和建设部 2002 年修订颁发的《工程勘察设计收费标准》执行。凡是完成了勘察设计任务，但是没有按合同规定期限支付费用的，项目业主要向勘察设计单位赔偿损失。

(5)在合同条款中，对双方纠纷、索赔、保险、仲裁、赔偿、担保等，也要有详细规定。这些规定越细越严，漏洞就越少，可以减少扯皮，提高效率，有利于工程勘察设计工作的开展。

三、工程承包合同

工程承包合同是发包人与承包人就完成具体工程项目的建筑施工(或含部分设计)、设备安装、设备调试、工程保修等工作内容，确定双方权利和义务的协议。施工合同是工程建设的主要合同，是工程建设质量控制、进度控制、投资控制的主要依据。

四、货物采购合同

建设工程货物采购合同，是指平等主体的自然人、法人、其他组织之间，为实现建设工程物资买卖，设立、变更、终止权利义务关系的协议。

货物采购包括材料采购和设备采购两部分，采购合同涉及的条款繁简程度差异较大。材料采购合同的条款一般限于材料交货阶段，主要涉及交接程序、检验方式和质量要求、合同价款的支付等。大型设备的采购，除了交货阶段的工作外，往往还需包括设备生产阶段、设备安装调试阶段、设备试运行阶段、设备性能达标检验和保修等方面的条款约定。

第四节　工程承包合同管理

一、工程承包合同的主要内容

工程承包合同条款内容除当事人写明各自的名称、地址、工程名称和工程范围,明确规定履行内容、方式、期限,违约责任以及解决争议的方法外,还应明确建设工期、中间交工工程的开工和竣工时间、工程质量、工程造价、技术资料交付时间、材料设备供应责任、拨款和结算、交工验收、质量保证期、双方互相协作等内容。

(一)工程范围

工程范围是指施工的界区,是施工承包人进行施工的工作范围。工程范围是施工合同的必备条款。

(二)建设工期

建设工期是指施工承包人完成施工任务的期限。每个工程根据性质的不同,所需要的建设工期也各不相同。建设工期能否合理确定往往会影响到工程质量的好坏。实践中,有的发包人由于种种原因,常常要求缩短工期,施工承包人为了赶进度,只好偷工减料,仓促施工,结果导致严重的工程质量问题。因此,为了保证工程质量,双方当事人应当在施工合同中确定合理的建设工期。

(三)中间交工工程

中间交工工程是指施工过程中的阶段性工程。为了保证工程各阶段的交接,顺利完成工程建设,当事人应当明确中间交工工程的开工和竣工时间。

(四)工程质量

工程质量是工程承包合同中的核心内容。工程质量往往通过设计图纸和技术要求说明书、施工技术标准加以确定。工程质量条款是明确承包人施工(或含设计)要求,确定承包人责任的依据,是工程承包合同的必备条款。工程质量必须符合国家规范和有关建设工程环保、安全标准化的要求,发包人不得以任何理由,要求施工承包人在施工中违反法律、行政法规以及建设工程质量、安全标准,降低工程质量。

(五)工程造价

工程造价是指建设该工程所需的费用,包括材料费、施工成本等费用。当事人根据质量要求及工程的概、预算,合理地确定工程造价。实践中,有的发包人为了获得更好的利益,往往压低工程造价,承包人为了盈利,不得不偷工减料,以次充好,结果必然导致工程质量不合格,甚至造成严重的工程质量事故。因此,为了保证工程质量,双方当事人应当合理确定工程造价。

(六)技术资料

技术资料主要是指勘察、设计文件以及其他承包人据以施工所必需的基础资料。技术资料的交付是否及时往往影响到施工进度,因此当事人应当在施工合同中明确技术资料的交付时间。

(七)材料和设备供应责任

材料和设备供应责任是指由哪一方当事人提供工程建设所必需的原材料以及设备。在实践中,可以由发包人负责提供,也可以由施工方负责采购。材料和设备的供应责任双方当事人应当在合同中做出明确约定。

(八)拨款和结算

拨款是指工程款的拨付,结算是指工程交工后,计算工程的实际造价以及与已拨付工程款之间的差额。拨款和结算条款是承包人请求发包人支付工程款和报酬的依据。一般来说,除"交钥匙工程"外,承包人只负责建筑、安装等施工工作,由发包人提供工程进度所需款项,保证施工顺利进行。现实中,发包人往往利用自己在合同中的有利地位,要求施工承包人垫款施工。施工承包人垫款完成施工任务后,发包人常常是不及时结算,拖延支付工程以及施工承包人所垫付的款项,这是造成目前建筑市场中拖欠工程款现象的主要原因,因此当事人不得在合同中约定垫款施工。

(九)竣工验收

竣工验收是工程交付使用前的必经程序,也是发包人支付价款的前提。竣工验收条款一般包括验收的范围和内容、验收的标准和依据、验收人员的组成、验收方式和日期等内容。建设工程竣工后,发包人应当根据施工图纸及说明书、国家颁发的施工验收规范和质量检验标准及时进行验收。

(十)保修范围

建设工程的保修范围应当包括地基基础工程、主体结构工程、屋面防水工程和其他工程,以及电气管线、上下水管线的安装工程,供暖工程等项目。质量保证期是指工程各部分正常使用的期限,在实践中也称质量保修期。质量保证期应当与工程的性质相适应,当事人应当按照保证在工程合理寿命年限内正常使用、维护使用者合法权益的原则确定质量保证期,但不得低于国家规定的最低保证期限。

(十一)双方相互协作条款

双方相互协作条款一般包括双方当事人在施工前的准备工作,施工承包人及时向发包人提出开工通知书、施工进度报告书、对发包人的监督检查提供必要的协助等。双方当事人的协作是施工过程的重要组成部分,是工程顺利施工的重要保证。

二、合同的履行

(一)发包人的义务

(1)办理土地征用、拆迁补偿、平整施工场地等工作,使施工场地具备施工条件,并在开工后继续解决以上事项的遗留问题。

(2)对施工所需水、电、电讯线路约定三通的时间、地点和供应要求。

(3)向承包人提供施工场地的工程地质和地下管线资料,保证数据真实,位置准确。专用条款内需要约定向承包人提供工程地质和地下管线资料的时间。

(4)办理施工许可证和临时用地、停水、停电、中断道路交通、爆破作业以及可能损坏道路、管线、电力、通讯等公共设施法律、法规规定的申请批准手续及其他施工所需的证件(证明承包人自身资质的证件除外)。

(5)确定水准点与坐标控制点,以书面形式交给承包人,并进行现场交验。

(6)组织承包人和设计单位进行图纸会审和设计交底。

(7)发包人应做的其他工作,双方在专用条款内约定。

(二)承包人义务

(1)根据发包人的委托,在其设计资质允许的范围内,完成施工图设计或工程配套设计,经监理工程师确认后使用,发生的费用由发包人承担。如果属于设计施工总承包合同或承包工作范围内包括部分施工图设计任务,则专用条款内需要约定承担设计任务单位的设计资质等级及设计文件的提交时间和文件要求(可能属于施工承包人的设计分包人)。

(2)提供年、季、月工程进度计划及相应进度统计报表。

(3)按工程需要提供和维修非夜间施工使用的照明、围栏设施,并负责安全保卫。

(4)按专用条款约定的数量和要求,向发包人提供在施工现场办公和生活的房屋及设施,发生费用由发包人承担。

(5)遵守有关部门对施工场地交通、施工噪音以及环境保护和安全生产等的管理规定,按管理规定办理有关手续,并以书面形式通知发包人。发包人承担由此发生的费用(因承包人责任造成的罚款除外)。

(6)已竣工工程未交付发包人之前,承包人按专用条款约定负责已完工程的成品保护工作,保护期间发生损坏,承包人自费予以修复。

(7)保证施工场地清洁符合环境卫生管理的有关规定。交工前清理现场达到专用条款约定的要求,承担因自身原因违反有关规定造成的损失和罚款。

(8)承包人应做的其他工作,双方在专用条款内约定。

(三)施工进度

1.进度计划

承包人应当在专用条款约定的日期,将施工组织设计和工程进度计划提交监理工程师。群体工程中采取分阶段进行施工的单项工程,承包人则应按照发包人提供图纸及有关资料的时间,按单项工程编制进度计划,分别向监理工程师提交。监理工程师接到承包人提交的进度计划后,应当予以确认或者提出修改意见。如果监理工程师逾期不确认也不提出书面修改意见,则视为已经同意。但是,监理工程师对进度计划予以确认或者提出修改意见,并不免除承包人对施工组织设计和工程进度计划本身的缺陷所应承担的责任。

2.开工及延期开工

承包人应当按协议书约定的开工日期开始施工。承包人不能保证按时开工,应在不迟于协议书约定的开工日期前7天,以书面形式向监理工程师提出延期开工的理由和要求。监理工程师在接到延期开工申请后的48小时内以书面形式答复承包人。监理工程师在接到延期开工申请后的48小时内不答复,视为同意承包人的要求,工期相应顺延。因发包人的原因不能按照协议书约定的开工日期开工,监理工程师以书面形式通知承包人后,可推迟开工日期。承包人对延期开工的通知没有否决权,但发包人应当赔偿承包人因此造成的损失,相应顺延工期。

3．工期延误

承包人应按照合同约定完成工程施工,如果由于其自身的原因造成工期延误,应当承担违约责任。但是,在有些情况下工期延误后,竣工日期可以相应顺延。因以下原因造成工期延误,经监理工程师确认,工期相应顺延:

(1)发包人不能按专用条款的约定提供开工条件;

(2)发包人不能按约定日期支付工程预付款、进度款,致使工程不能正常进行;

(3)设计变更和工程量增加;

(4)一周内非承包人原因停水、停电、停气造成停工累计超过8小时;

(5)不可抗力;

(6)专用条款中约定或监理工程师同意工期顺延的其他情况。

监理工程师在工期可以顺延的情况发生后14天内予以确认答复,逾期不予以答复,视为报告要求已经被确认。

（四）工程质量

工程施工中的质量控制是合同履行中的重要环节。施工合同的质量控制涉及许多方面的因素,任何一个方面的缺陷和疏漏都会使工程质量无法达到预期的标准。

1．工程质量标准

工程质量应当达到协议书约定的质量标准,质量标准的评定以国家或者专业的质量检验评定标准为准。达不到约定标准的工程部位,监理工程师一经发现,可要求承包人返工,承包人应当按照要求返工,直到符合约定标准。因承包人的原因达不到约定标准,由承包人承担返工费用,工期不予顺延。因发包人的原因达不到约定标准,由发包人承担返工的追加合同价款,工期相应顺延。因为双方原因达不到约定标准,责任由双方分别承担。

2．施工过程中的检查和返工

在工程施工过程中,监理工程师及其委派人员对工程的检查、检验,是他们的一项日常性工作和重要职能。承包人应认真按照标准、规范和设计要求以及监理工程师依据合同发出的指令施工,为检查、检验提供便利条件,并按监理工程师及其委派人员的要求返工、修改,承担由于自身原因导致返工、修改的费用。检查检验合格后,又发现因承包人引起的问题,由承包人承担责任,赔偿发包人的直接损失,工期相应顺延。检查检验不应影响施工正常进行,如影响施工正常进行,检查检验不合格时,影响正常施工的费用由承包人承担。除此之外影响正常施工的追加合同价款由发包人承担,相应顺延工期。

3．隐蔽工程和中间验收

由于隐蔽工程在施工中一旦完成隐蔽,很难再对其进行质量检查(这种检查成本很大),尤其是对于水文水资源中的隐蔽工程(主要是涉及过水和水下部分工程),因此必须在隐蔽前进行检查验收。对于中间验收,合同双方应在专用条款中约定需要进行中间验收的单项工程和部位的名称、验收的时间和要求,以及发包人应提供的便利条件。工程具备隐蔽条件和达到专用条款约定的中间验收部位,承包人进行自检,并在隐蔽和中间验收前48小时以书面形式通知监理工程师验收。通知包括隐蔽和中间验收内容、验收时间和地点。承包人准备验收记录,验收不合格,承包人在监理工程师限定的时间内修改后重新验收。工程质量符合标准、规范和设计图纸等的要求,验收24小时后,监理工程师不在验收记录上签字,视为监理工程师已经批准,承包人可进行隐蔽或者继续施工。

4. 重新检验

监理工程师不能按时参加验收,须在开始验收前24小时向承包人提出书面延期要求,延期不能超过两天。监理工程师未能按以上时间提出延期要求,不参加验收,承包人可自行组织验收,发包人应承认验收记录。无论监理工程师是否参加验收,当其提出对已经隐蔽的工程重新检验的要求时,承包人应按要求进行剥露或者开孔,并在检验后重新覆盖或者修复。检验合格,发包人承担由此发生的全部追加合同价款,赔偿承包人损失,并相应顺延工期。检验不合格,承包人承担发生的全部费用,工期不予顺延。

5. 试运行

对于设备安装工程,应当组织试运行。试运行内容应与承包人承包的安装范围相一致。

(1)无负荷试运行。设备安装工程具备单机无负荷试运行条件,由承包人组织试运行。承包人应在试运行前48小时书面通知监理工程师。通知内容包括试运行内容、时间、地点。承包人准备试运行记录,发包人根据承包人要求为试运行提供必要条件。试运行通过,监理工程师在试运行记录上签字。

(2)联动无负荷试运行。设备安装工程具备无负荷联动试运行条件,由发包人组织试运行,并在试运行前48小时书面通知承包人。通知内容包括试运行内容、时间、地点和对发包人的要求,承包人按要求做好准备工作和试运行记录。试运行通过,双方在试运行记录上签字。

(五)合同价款管理

1. 施工合同价款及调整

施工合同价款,是按有关规定和协议条款约定的各种取费标准计算,用以支付承包人按照合同要求完成工程内容的价款总额。这是合同双方关心的核心问题之一,招标投标等工作主要是围绕合同价款展开的。合同价款应依据中标通知书的中标价格和非招标工程的工程预算书确定。合同价款在协议书内约定后,任何一方不得擅自改变。合同价款可以按照固定价格合同、可调整价格合同、成本加酬金合同3种方式约定。可调整价格合同中价款调整的范围包括:

(1)国家法律、行政法规和国家政策变化影响合同价款;

(2)工程造价管理部门公布的价格调整;

(3)一周内非承包人原因停水、停电、停气造成停工累计超过8小时;

(4)双方约定的其他调整或增减。

2. 工程预付款

工程预付款主要是用于采购建筑材料。预付额度,建筑工程一般不得超过当年建筑(包括水、电、暖、卫等)工程工作量的30%,大量采用预制构件以及工期在6个月以内的工程,可以适当增加;安装工程一般不得超过当年安装工程量的10%,安装材料用量较大的工程,可以适当增加。双方应当在专用条款内约定发包人向承包人预付工程款的时间和数额,开工后按约定的时间和比例逐次扣回。预付时间应不迟于约定的开工日期前7天。

3.工程量的确认

对承包人已完成工程量的核实确认,是发包人支付工程款的前提。其具体的确认程序如下:首先,承包人向监理工程师提交已完工程量的报告,然后,监理工程师进行计量。监理工程师接到报告后7天内按设计图纸核实已完成工程量(以下称计量),并在计量前24小时通知承包人,承包人为计量提供便利条件并派人参加。

4.工程款(进度款)支付

发包人应在双方计量确认后14天内,向承包人支付工程款(进度款)。同期用于工程上的发包人供应的材料设备的价款,以及按约定时间发包人应按比例扣回的预付款,与工程款(进度款)同期结算。合同价款调整、设计变更调整的合同价款及追加的合同价款,应与工程款(进度款)同期调整支付。

(六)竣工验收与结算管理

1.竣工验收工作程序

工程具备竣工验收条件,承包人按国家工程竣工验收的有关规定,向发包人提供完整竣工资料及竣工验收报告。双方约定由承包人提供竣工图的,应当在专用条款内约定提供的日期和份数。发包人收到竣工验收报告后28天内组织有关部门验收,并在验收后14天内给予认可或提出修改意见。承包人按要求修改。

2.竣工结算

工程竣工验收报告经发包人认可后28天内,承包人向发包人递交竣工决算报告及完整的结算资料。发包人自收到竣工决算报告及结算资料后28天内进行核实,确认后支付工程竣工结算价款。承包人收到竣工结算价款后14天内将竣工工程交付发包人。

3.质量保修

建设工程办理交工验收手续后,在规定的期限内,因勘察、设计、施工、材料等原因造成的质量缺陷,应当由施工单位负责维修。所谓质量缺陷是指工程不符合国家或行业现行的有关技术标准、设计文件以及合同中对质量的要求。

为了保证保修任务的完成,承包人应当向发包人支付保修金,也可由发包人从应付承包人工程款内预留。质量保修金的比例及金额由双方约定,但不应超过施工合同价款的3%。工程的质量保证期满后,发包人应当及时结算和返还(如有剩余)质量保修金。发包人应当在质量保证期满后14天内,将剩余保修金和按约定利率计算的利息返还承包人。

(七)合同变更的管理

1.设计变更

在施工过程中如果发生设计变更,将对施工进度产生很大的影响。因此,应尽量减少设计变更,如果必须对设计进行变更,则应严格按照国家的规定和合同约定的程序进行。

2.其他变更

合同履行中发包人要求变更工程质量标准及发生其他实质性变更,由双方协商解决。

(八)索赔和争议管理

1.索赔

索赔是当事人在合同实施过程中,根据法律、行政法规及合同等规定,对于并非由于自己的过错,而是属于应由合同对方承担责任的情况造成,且实际发生了损失,向对方提出给予补偿的要求。补偿包括经济补偿和时间补偿。索赔是合同当事人的权利,既包括承包人向发包人索赔,也包括发包人向承包人索赔。当合同当事人一方向另一方提出索赔时,要有正当的索赔理由,且有索赔事件发生时的有效证据。

2. 争议的解决

合同当事人在履行施工合同时发生争议,可以和解或者要求合同管理及其他有关主管部门调解。和解或调解不成的,双方可以在专用条款内约定以下一种方式解决争议:①双方达成仲裁协议,向约定的仲裁委员会申请仲裁;②向有管辖权的人民法院起诉。

发生争议后,在一般情况下,双方都应继续履行合同,保持施工连续,保护好已完成工程。只有出现下列情况时,当事人方可停止履行施工合同:

(1)单方违约导致合同确已无法履行,双方协议停止施工;

(2)调解要求停止施工,且为双方接受;

(3)仲裁机构要求停止施工;

(4)法院要求停止施工。

三、合同风险管理

建设工程施工阶段风险的客观存在取决于建设工程的特点。建设工程具有规模大、工期长、材料设备消耗大,产品固定、施工生产流动性强,受地质条件、水文条件和社会环境因素影响等特点,这些特点都不可避免地给工程实施阶段从环境与技术、经济等各方面带来不确定性风险。

(一)合同签订和履行方面的风险

(1)合同条款不全面。合同条款不全面、不完善,合同文字不细致、不严密,致使合同存在比较严重的漏洞;或者合同存在着单方面的约束性、过于苛刻的责权利等不平衡条款。

(2)合同内没有或不完善的转移风险的担保、索赔、保险等相应条款。

(3)合同内缺少因第三方影响造成工期延误或经济损失的条款。

(4)发包方资信因素。发包方履约能力差,由于发包方经济情况变化,无力支付工程款,或是发包方信誉差,不诚实,有意拖欠工程款。

(5)分包。由于选择分包商不当,会遇到分包商违约,不能按质、按量、按时完成分包工程,致使影响整个工程进度或发生经济损失。

(6)合同履行过程中,由于发包方驻工地代表或监理工程师工作效率低,不能及时解决问题或付款,或者是发出错误的指令。

(二)合同风险的处理

1. 控制风险

(1)重视合同谈判,签订完善的施工合同。作为承包商宁可不承包工程,也不能签订不利的、独立承担过多风险的合同。减少或避免风险是谈判施工合同的重点,通过合同谈判,对合同条款拾遗补缺,尽量完整,防止不必要的风险,对不可避免的风险,由双方合理分担。使用合同示范文本(或称标准文本)签订合同是使施工合同趋于完善的有效途径。

由于合同示范文本内容完整，条款齐全，双方责权利明确、平衡，从而风险较小，对一些不可避免的风险，分担也比较公正合理。

（2）加强合同履行管理，分析工程风险。虽然在合同谈判和签订过程中对工程风险已经发现，但是合同中还会存在词语含糊，约定不具体、不全面，责任不明确，甚至矛盾的条款。因此，任何建设工程施工合同履行过程中都要加强合同管理，分析不可避免的风险，如果不能及时透彻地分析出风险，就不可能对风险有充分的准备，则在合同履行中很难进行有效的控制。特别是对风险大的工程更要强化合同分析工作。

2.转移风险

转移风险包括相互转移风险和向第三方转移风险。转移工程项目风险有如下几种措施：

（1）推行索赔制度，相互转移风险。在合同履行中，推行索赔制度是相互转移风险的有效方法。工程索赔制度在我国尚未普遍推行，承发包双方对索赔的认识还很不足，索赔和反索赔具体做法也还十分生疏。因此，政府主管部门和中介机构要向承发包方不断宣传推行索赔制度、转移风险的意义、索赔方法，制定有关推行索赔的管理办法，使转移工程风险的合理合法的索赔制度健康地开展起来，逐步与国际工程惯例接轨。

（2）向第三方转移风险。向第三方转移风险包括推行担保制度和进行工程保险。推行担保制度是向第三方转移风险的一种有法律保证的做法。我国《担保法》内规定有五种担保方式，在建设工程施工阶段以推行保证和抵押两种方式为宜。工程保险是项目业主和承包商转移风险的一种重要手段。当出现保险范围内的风险，造成经济损失时，项目业主和承包商可以向保险公司索赔，以获得相应的赔偿。

第五节　工程项目货物采购合同管理

一、货物采购合同管理原则

（一）货物采购合同应依据工程承包合同订立

无论是业主自己采购的货物，还是承包商采购的货物，或者是工程咨询代理组织采购的货物，均须符合工程承包合同对货物的质量要求和工程进度需要的安排。也就是说，货物采购合同的订立要以工程承包合同为依据，并且与其他工程建设事项互相衔接。

（二）货物采购合同要以货物交付和货款支付为合同的基本内容，遵守货物与货币等价交换的原则

依合同规定，卖方收到相应的价款，买方同时要获取相应的货物，做到公平的商品交换。这也是买卖合同的重要法律特征。违背合同拖欠货款，都是违约行为。

（三）卖方对买方必须以转移实物方式履行合同

货物采购合同是基于工程承包合同的需要订立的，货物采购合同的履行直接影响工程承包合同的履行，因此卖方必须按合同规定实际交付货物，不允许以支付违约金或损害赔偿金的方式代替合同的履行。买方也不允许以实物抵货币对卖方实行支付，代替合同的履行。

(四)货物采购合同必须是书面形式

工程建设是一项十分重要的任务,特别是国家重点工程,是涉及到国家经济发展和人民生活的重大事情,合同的形式不能是口头形式,必须是书面的形式,以表示合同的权威性和严肃性。

二、货物采购合同管理的内容

(一)货物种类要具体化

采购中的各种货物,应在合同中予以明确和具体化,这是货物采购中最重要的条款之一。在合同中,要详细写明各种货物的品种、型号、规格、等级、花色、数量等。还要写明货物不符合合同规定时买方提出异议的时间。

(二)质量要求

货物的质量关系到该货物能否满足项目业主的需要,是否适用于约定的用途,成套货物的合同,不仅对主件有质量要求,而且对附件也要有质量要求。质量要求准则是指国家对采购物资的性能、规格、质量、检验方法、包装以及储运条件等所作的统一规定,是设计、生产、检验、供应、使用该产品的共同技术依据。质量条款是货物采购供应合同中的重要条款,也是货物的验收和区分责任的依据。

(三)质量标准

合同双方当事人在确定质量标准时,一定要看货物属于什么种类,是否有各种法定标准,如有国家标准或行业标准的,要按照国家标准或行业标准签订;没有国家标准和行业标准的,按企业标准签订;当事人有特殊要求的,由双方协商签订。

(四)时间要求

确定厂商对货物质量责任的期限。厂商对货物的质量是要负责任的,但并不是无期限、无条件地负责,而是有时间和条件的限制。为此,双方应该在合同中做出明确有关责任期限的规定。

(五)价格条款

价格是货物采购合同的一项重要条款,如果价格条款没有确定或不明确,项目业主付款就没有标准和依据,很容易发生纠纷。

货物的价格,凡是实行招投标的项目,按中标价格执行;不实行招投标的项目,凡有国家定价的货物按国家定价执行;属国家指导价的货物则按国家指导价执行;不属于国家定价和国家指导价的,可由双方根据市场价格定价。

在价格条款中,要写明付款总额、付款方式、付款次数、付款时间、付款币种,以及延期付款时利息的计算方法。

(六)交货条款

交货条款包括明确交货的单位、交货方式、运输方式、到货地点、提货人、交(提)货期限等内容。

合同条款必须明确规定,交货方式是指一次交货,还是分期分批交货;是制造厂商送货或由厂商代办托运,还是项目业主自提。合同条款必须明确运输方式,双方应根据各种运输工具的特点,结合货物的特性和数量、路程的远近、供应任务的缓急等因素协商选择合理的运输方式和运输工具。

合同条款必须明确规定到货地点，即合同履行地。交货期限，即货物由厂商转移给项目业主的具体时间要求，它涉及合同是否按期履行问题和货物意外损失危险的责任承担问题。合同中的交(提)货限期，应写明年份和月份。实际交(提)货日期早于或迟于合同规定限期的，即视为提前或逾期交(提)货，有关当事人应承担相应的责任。

(七)验收条款

(1)验收内容。验收是指项目业主按合同规定的标准和方法对货物的名称、品种、规格、型号、数量、质量等进行检测和测试，以确定是否与合同相符。验收也是货物采购合同的一项主要条款。通过验收可以检验厂商履行义务的好坏。如果验收不合格，那么项目业主有权拒付货款，要求供货方修理、更换或退货等。

(2)验收根据。验收活动通常根据合同、发货单、装箱单、产品合格证以及其他凭证，或者国家标准、专业(部)标准、封存的样品等。

(3)验收标准。验收标准要根据质量条款所确定的技术指标和质量要求来确定。如果质量标准是国家标准、行业(部)标准、企业标准，就分别按相关标准验收，厂商应附产品合格证或质量保证书及必要的技术资料；如果质量标准以样品为依据，双方要共同封存样品，分别保管，按封存的样品进行验收。

(4)验收期限。验收期限是确定双方责任的时间界限。如果在验收期限内发现货物质量、数量等问题，就要视情况由厂商或承运方负责；如果验收期限过后发现问题，则由项目业主自负。

(5)验收地点。验收地点是厂商和项目业主双方行使权利和履行义务的空间界限，所以合同一定要写明是在项目业主所在地验收；还是在厂商所在地验收。一般厂商送货或代运的，以项目业主所在地为验收地；项目业主自提的，则以厂商所在地为验收地。双方也可以确定其他地点为验收地。

(八)结算条款

结算是对货物价款的了结和清算。结算方式就是对货款采取什么方式结算。根据有关规定，目前我国转账方式运用比较普遍，凡在银行和信用社开立账户的法人组织和其他经济组织、个体工商户等均可采用转账结算方式支付货款。转账结算方式包括异地托收承付、异地委托收款、信用证结算、汇兑结算、票据结算等。合同中应明确规定货款的结算办法和结算时间，并注明双方的开户银行和账户名称、账号。

在合同中要确定结算期限。如果是验货付款，要确定在验货后多长期限内结算付款。凡收、付双方在合同中商定缩短或延长验货期的，应在托收凭证上写明。

(九)违约责任

1.厂商违约责任

(1)厂商不能交货的，应向业主偿付违约金。具体偿付比例可由厂商和项目业主双方在订立合同时商定，并载入合同条款。

(2)逾期交货，按合同中有关延期交货的规定，计算违约金。提前交货的，多交的货物和品种、型号、规格、质量不符合合同规定的货物，厂商应承担项目业主在代保管期内实际支付的保管、保养等费用。

(3)项目业主按厂商通知的时间、地点前往提货而未提到时,厂商应负逾期交货的违约责任,并承担项目业主因此而支付的实际费用。

(4)货物的规格、品种、质量不符合合同规定的,如果项目业主同意利用,应当按质论价,由厂商负责包修包换包退,并承担修理、调换、退货所支付的实际费用。不能修理或调换的,按不能交货处理。在交售货物中掺杂使假、以次充好的,项目业主有权拒收,厂商同时应向需方偿付相应的违约金。

(5)产品包装不符合合同规定,必须返修或重新包装的,厂商应当负责返修或重新包装,并承担因此支付的费用。因包装不符合规定造成货物损坏或者丢失的,厂商应当负责赔偿。

(6)货物错发到货地点或接货单位(人),造成逾期交货的,应偿付逾期交货的违约金。未经需方同意,擅自改变运输路线和运输工具的,应承担由此增加的费用。

2.项目业主的违约责任

(1)中途退货或无故拒收货物,应偿付违约金、赔偿金,并承担厂商由此支付的费用和赔偿由此造成的损失。具体赔偿比例可由厂商、项目业主在签订合同时商定。

(2)未按合同规定的时间和要求提供应交的技术资料或包装物的,除交货日期得以顺延外,按照延期付款的规定,向厂商支付违约金,并赔偿由此造成的损失。如果不能提供技术资料和包装物的,按中途退货处理。

(3)自提货物未按厂商通知的日期或合同规定的日期提货的,比照中国人民银行有关延期付款的规定,支付违约金,并承担厂商在此期间所支付的保管费、保养费。

(4)未按合同规定日期付款的,比照中国人民银行延期付款的规定支付厂商违约金。在此期间如遇国家规定的价格上涨时,承担由此而多支付的费用。

(5)错填或临时变更到货地点又没提前通知厂商的,承担由此而多支付的费用。

(6)在合同规定的验收期限内,未进行验收或验收后在规定的期限内,未提出异议,即视为默认。对于提出质量异议或因其他原因提出拒收的一般货物,在代保管期内,必须按原包装妥善保管、保养,不得动用,一经动用即视为接收,应按期向厂商付款,否则按延期付款处理。

三、货物招标采购合同的履行

货物的生产过程,就是合同的履行过程。对机械设备履行合同来说,与生产材料履行合同有所区别,厂商在机械设备制造过程中,一般说来,需要项目业主派咨询工程师到制造现场进行监督检查,厂商自检合格后经咨询工程师再进行检查和验收。对于材料来说,一般是厂商自检合格后,再将货物运到使用现场,由咨询工程师再进行检查,合格后验收入库,或进入料场。

机械设备现场监造检验。在合同上必须规定,在机械设备制造过程中,项目业主有权派遣咨询工程师驻厂监造检验。监造检验工作的任务是:确保机械设备质量符合货物招标采购合同的要求,监造检验工作包括对原料材料进货的检验、设备制造加工监造检验、组装和中间产品的监造检验、整体货物性能的监造检验、包装监造检验、运输条件检验等。

(一)监造检验的基本内容

(1)货物质量主要是通过建立和实施质量保证体系来保证的。咨询工程师要首先了解制造厂质量保证体系文件的制定和有效实施情况。

(2)咨询工程师要掌握货物招标采购合同的全部内容,特别是要掌握合同中的技术标准、规范要求、货物的质量要求和时间要求,以及检验标准要求,并且据此制定监造检验计划,列出重点监造检验目录。

(3)在设备制造开始之前,要组织召开协调会议,使制造厂明确产品要求,检验内容、方式、时间,以及各自的义务等。

(4)设备制造过程中,根据需要咨询工程师应进驻制造现场进行监造检验。监造检验的方法一般是目检、实测、记录、照相等。当需要使用测试仪器时,制造厂商应提供协助和方便。

(5)设备制造完毕后,咨询工程师参加全面的质量验收,认真做好出厂前的检验测试,把问题消除在出厂之前,并写出检验报告。

检验报告应该是根据采购订货合同及其附件提出的技术规格和要求,对采购的设备和材料进行检验、测试和其他有关质量检查的真实情况的记录。

为了提高编写检验报告的质量,咨询工程师应根据经验编制统一的格式。检验报告的结论部分,应该明确被检验的设备和材料可以验收、有条件验收或拒收的结论。

(6)设备的检验,根据工程项目的具体情况,也可聘请有资格和有信誉的第三方检验机构承担检验工作。

(7)设备、材料运抵施工现场后,主持仓储的管理人员要开箱检验,合格后方能入库。

(二)监造检验的要求

(1)在机械设备制造之前,咨询工程师要召开预检会议,审查制造厂的检验计划。

(2)机械设备检验应按订货合同文件规定的标准、规范进行。

(3)做好检验报告,因为检验报告是对机械设备质量的真实记录。

(4)对合格产品,有关参检方要联名签字,并且一切文件要完整无损。对不合格产品,咨询工程师要提出处理意见。

(5)对产品质量有争议的问题,可以聘请第三方检验,也可请专家或有关专业部门检验,得出公正的结论。

(三)货物催交

催交的任务就是按照合同规定的日期,督促厂商按期交付货物,防止进度拖延。在催交过程中,咨询工程师主要抓好下列几项工作:

(1)检验厂商交货计划;

(2)制定催交计划;

(3)索取厂商制造进度表和进度报告;

(4)催促厂商提交图纸和技术文件;

(5)检查厂商原材料采购进度情况;

(6)检查厂商制造、组装、检验、装运的准备情况;

(7)检查包装情况;

(8)检查运输情况。

四、违约责任

货物采购合同签订以后,项目业主和制造商就要全面及时地履行合同约定的义务,如果违反合同义务,延迟履行,不履行或者不全面履行,都要承担相应的违约责任。

(一)制造商违约责任

(1)制造商不能按期交货的,就应按合同中规定的具体计算办法向项目业主赔偿违约金。

(2)制造商逾期交货,要按合同规定计算违约金,提前交货的,制造商要按实际支付保管、保养费用。

(3)制造商提供的货物不符合合同规定的品种、规格、质量要求的,按不能按期交货处理。

(4)货物错发,项目业主不能按合同规定的时间、地点收到货物,或者货物到达收货地点,但包装不符合合同规定要求的,制造商要依据合同规定赔偿。

(二)项目业主违约责任

(1)项目业主中途退货或无故拒收合格货物,应按合同规定的计算办法赔偿制造商的损失。

(2)项目业主未按合同规定日期付款的,按合同规定的计算办法向制造商支付违约金。

(3)项目业主未按合同规定时间向制造商提供需要的技术资料,除了要顺延交货日期外,还要按合同规定向制造商支付违约金。如果不能提供技术资料,按中途退货处理。

(4)在合同规定的时间内,未进行货物验收,或在验收后未在合同规定的时间内提出异议,即视为默认。

五、纠纷解决

产生经济纠纷,双方协商解决,解决不了时,可聘请咨询工程师或第三者协调,协调不了时,可选择仲裁或诉讼解决。

第六章 工程项目质量管理

第一节 概 述

一、工程项目质量管理的目的和意义

(一)工程项目质量管理的目的

水文水资源设施工程建设项目质量管理的目的,是通过管理,使建设项目科学决策、精心设计、精心施工,建设质量合格的水文水资源设施工程项目,保证投资目标的实现。

(二)工程项目质量管理的意义

(1)水文水资源设施工程项目各项工作的质量如何,是建设项目成败的关键。加强管理,保证质量,才能实现投资者的期望。

(2)水文水资源设施工程项目是关系经济发展的基础性设施,工程项目质量好坏,直接影响国民经济和社会发展。因此,搞好工程项目的质量管理,是项目管理者对国家和社会应尽的义务。

二、工程项目质量管理的特点

水文水资源设施工程项目的质量管理具有如下特点:

(1)工程项目的质量特性较多。要充分考虑项目的生产性、可靠性、耐久性、安全性(人身安全、运行安全)及与环境的协调性。

(2)影响工程项目质量因素多。工程项目不仅受工程项目决策、勘察设计、工程施工的影响,还要受到材料、机械、设备的影响。对工程所在地的政治、经济、社会环境以及水文、气候、地理、地质、资源等影响也不能忽视。

(3)工程项目质量管理难度较大。由于水文水资源设施项目涉及水文、地质、信息、建筑等多个学科,且项目多建于野外和偏远山区,随河流特性、土壤、地质、地形、地貌的不同,建设特点也不尽相同,更无法实行批量生产,给工程项目质量管理带来较大难度。

(4)工程项目质量具有隐蔽性。工程项目中分项工程交接多,隐蔽工程多,尤其是地下工程、水下工程等,如不在施工过程中及时进行监督检查,事后很难发现内在的质量问题。必须加强过程中的监督检查。

三、项目质量管理体系和企业质量管理体系的关系

目前许多咨询单位、勘察设计单位、施工单位、监理单位都已经或者正在按照国际通行的企业管理标准建立企业的质量管理体系,有的还取得了第三方的认证,增强了市场竞争能力。有了企业的质量管理体系,建立项目的质量管理体系就方便得多,可以从企业的

质量管理体系文件中直接引用,或者根据项目和项目组织的特点,适当调整应用。项目质量管理体系文件与企业质量管理体系文件的关系如图 6-1 所示。

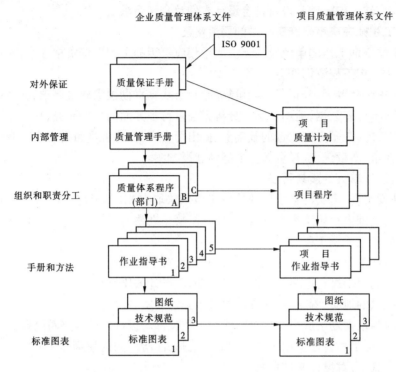

图 6-1　项目质量管理体系文件与企业质量管理体系文件的关系

四、参与工程建设各方的质量责任

(一)项目业主单位的质量管理责任

(1)项目业主单位是水文水资源设施工程项目的主办单位,应对项目的质量管理负总责。同时,通过签订各种合同将有关工作的质量责任分解到有关单位。

(2)水文水资源设施工程项目业主单位应择优选择咨询单位,依法对承担工程建设项目勘察、设计、施工、监理任务的单位以及与工程建设有关的重要设备、材料等采购进行招标,择优选定中标者。各项合同必须有明确的质量条款,规定明确的质量责任。

(3)水文水资源设施工程项目业主单位不得迫使承包方以低于成本的价格竞标,不得任意压缩合理工期。建设单位不得明示或者暗示设计单位或者施工单位违反工程建设强制性标准,降低建设工程质量。

(4)水文水资源设施工程项目业主单位必须向有关的勘察、设计、施工、工程监理等单位提供与建设工程有关的真实、准确、齐全的原始资料。

(5)水文水资源设施工程项目业主单位在工程开工前,负责办理有关施工图设计文件审查、开工报告、工程施工许可证和工程质量监督手续。组织设计和施工单位认真进行设计交底和图纸会审。

(6)水文水资源设施工程项目业主单位应按国家有关规定和合同约定,加强对咨询成果、设计、施工质量进行检查。

(7)按照合同约定,由项目业主单位采购建筑材料、建筑构配件和设备的,建设单位应当保证建筑材料、建筑构配件和设备符合设计文件及合同要求。

(二)咨询工程师在决策研究工作中的质量责任

(1)从事工程咨询工作的单位应当依法取得相应等级的工程咨询资格证书,并在其资质等级的范围内承担工程咨询任务。

(2)在工作中坚持客观、公正、科学、可靠的原则,认真贯彻国家政策要求,加强调查研究,判别、采用科学可靠数据,运用科学的分析方法进行多方面的分析研究,从实际情况出发,运用智慧和技能,在多方案比选的基础上,提出切实可行、保证项目符合宏观调控政策和可持续发展要求、质量优良、投资效益最好的建设方案。

(三)勘察、设计单位的质量责任

(1)从事建设工程、水文勘察设计的单位应当依法取得相应等级的资质证书,并在其资质等级许可的范围内承担工程勘察、设计任务。禁止勘察、设计单位允许其他单位或者个人以本单位的名义承揽工程。

(2)勘察、设计单位必须建立健全质量管理体系,按照国家现行的有关规定、工程建设强制性标准和合同要求进行勘察、设计,并对其勘察、设计的质量负责。

勘察单位提供的地质、测量、水文等勘察成果必须真实、准确。

设计单位应当根据勘察成果文件进行建设工程设计。设计文件应当符合国家规定的设计深度要求,注明工程合理使用年限。注册建筑师、注册结构工程师等注册执业人员应当在设计文件上签字,对设计文件负责。

(3)设计单位在设计文件中选用的建筑材料、建筑构配件和设备,应当注明规格、型号、性能等技术指标,其质量要求必须符合国家规定的标准。除有特殊要求的建筑材料、专用设备、工艺生产线等外,设计单位不得指定生产厂、供应商。

(4)设计单位应当就审查合格的施工图设计文件向施工单位作出详细说明。

(5)设计单位应当参与建设工程质量事故分析,并对因设计造成的质量事故,提出相应的技术处理方案。

(四)施工单位的质量责任

(1)施工单位应当依法取得相应等级的资质证书,并在其资质等级许可的范围内承揽工程。禁止施工单位允许其他单位或者个人以本单位的名义承揽工程。施工单位不得转包或者违法分包工程。

(2)施工单位对建设工程的施工质量负责。施工单位应当建立健全质量管理体系,落实质量责任制,确定工程项目的项目经理、技术负责人和施工管理负责人。

建设工程实行总承包的,总承包单位应当对全部建设工程质量负责;建设工程勘察、设计、施工、设备采购的一项或者多项实行总承包的,总承包单位应当对其承包的建设工程或者采购的设备的质量负责。

(3)总承包单位依法将建设工程分包给其他单位的,分包单位应当按照分包合同的约定对其分包工程的质量向总承包单位负责,总承包单位与分包单位对分包工程的质量承担连带责任。

(4)施工单位必须按照工程设计图纸和施工技术规范标准组织施工,未经设计单位同意,不得擅自修改工程设计。施工单位在施工过程中发现设计文件和图纸有差错的,应当及时提出意见和建议。

(5)施工单位必须按照工程设计要求、施工技术标准和合同约定,对建筑材料、建筑构配件、设备和商品混凝土进行检验,检验应当有书面记录和专人签字;未经检验或者检验不合格的,不得使用。不符合设计和强制性技术标准要求的产品,不得使用。不得偷工减料。

(6)施工单位必须建立健全施工质量的检验制度,严格工序管理,做好隐蔽工程的质量检查和记录。隐蔽工程在隐蔽前,施工单位应当通知建设单位和建设工程质量监督机构。

(7)施工人员对涉及结构及结构安全的试块、试件以及有关材料,应当在建设单位或者工程监理单位监督下现场承样,并送具有相应资质等级的质量检测单位进行检测。

(8)施工单位对施工中出现质量问题的建设工程或者竣工验收不合格的建设工程,应当负责返修,直到合格为止。

(五)监理单位的质量责任

(1)工程监理单位应按其资质等级适合的范围承担工程监理任务,不许超越本单位资质等级许可的范围,不得转让工程监理业务,不许其他单位或个人以本单位的名义承担工程监理业务。

(2)应依照国家法律、法规以及有关技术标准、设计文件和工程承包合同,以及水利行业法规、技术标准,与建设单位签订监理合同,代表建设单位对工程质量实施监理并承担监理责任。

(六)材料、设备生产或供应单位的质量责任

建筑材料、构配件及设备生产或供应单位对其生产或供应的产品质量负责。生产厂或供应商必须具备相应的生产条件、技术装备和质量管理体系,所生产或供应的材料、构配件及设备质量应符合国家、行业现行技术规定的和合同规定的合格标准及设计要求,应有相应的产品检验合格证,设备应有详细的使用说明。

五、建立和实施质量管理体系的基本方法与步骤

参与工程项目建设的有关单位,都应按照国家规定的标准建立质量管理体系。建立质量管理体系的基本方法与步骤是:

(1)在认真理解项目业主和其他相关方的需求与期望的基础上,建立项目管理的质量方针和质量目标。

(2)结合项目工作结构的分解,把质量目标层层分解,使各项工作目标和质量目标结合起来。

(3)结合项目团队职能的分层次分解,把质量管理的职能(包括直接质量活动和间接质量活动)分层次分解到各职能部门,分解到各个作业人员。

(4)在质量目标、质量管理职能分层次分解的基础上制定工程项目的质量计划。质量计划应尽可能简明,便于操作,一般采取上下结合的办法进行。

质量计划的内容包括：①明确各层次的质量目标和质量管理职能；②明确各层次之间的配合和接口，一定要做到层次清楚、接口明确、结构合理、协调有序；③明确实现质量目标的过程顺序，明确过程中进行质量监测的环节、频率及标准，根据过程控制的原理按过程顺序进行控制，使每个工序都能保证质量；④确定和提供实现质量目标必需的资源；⑤明确记录和收集报告数据的标准表格，制定收集报告数据的标准表格，是为了对记录进行规范化的整理，既是及时分析质量执行情况、采取改进措施的重要工具，也是及时向顾客和有关部门进行沟通的重要手段。

（5）按质量计划组织实施，按规定进行监测，做好监测记录。

（6）及时清除不合格工程，并总结经验教训，分析产生不合格的原因，提出改进措施，持续改进质量管理体系。

第二节　工程项目前期工作阶段的质量管理

一、前期工作质量管理的重要性

水文水资源设施工程项目前期工作，主要指项目建议书、可行性研究报告、咨询评估等。前期工作的质量是整个工程项目的关键，处于十分重要的地位。

（一）前期各项工作是投资决策的科学依据

水文水资源设施工程项目的规模、建设的内容、技术水平分析、风险分析、经济效益分析和社会效益分析等是否深入全面，计算是否准确可靠，各项数据是否符合实际，直接决定着工程项目的前途和命运。

（二）前期工作文件是水文水资源设施工程项目实施的规定性文件

前期工作文件直接指导项目的设计、施工、监理、设备材料采购、竣工验收等各项工作。如果前期工作质量不好，差错漏项较多，就会给工程实施过程带来大量的变更，甚至停工或返工，造成巨大损失。

二、建立项目质量管理责任制，制定项目质量管理计划

（一）建立项目质量管理责任制

项目团队负责人是工程项目质量的全权责任人，必须亲自抓质量工作。大型项目还可设项目质量经理协助工作。质量经理的职责是：

（1）负责编制项目质量计划，并组织实施。

（2）按质量计划规定，督促、检查项目质量计划执行情况，特别是主要质量控制点的验证、检查和评审活动。

（3）对发现的重大的管理方面或技术方面的质量问题，一方面组织研究解决，一方面向项目团队负责人报告。

（4）编制项目质量报告，报上级质检部门和项目经理。

项目质量经理对质量的监督检查，不能代替项目其他岗位的质量职责，项目各个经理、专业负责人、各部室、各专业人员、校审人员均应完成自己应负的质量职责，项目质量

才能有保证。

(二)制定项目质量管理计划

(1)了解和掌握项目的特点,明确咨询成果的质量目标和质量标准。

(2)熟悉质量管理体系文件。

(3)把质量目标的要求层层分解,按质量计划和实施步骤层层落实,一直落实到个人。

(4)在质量管理计划中,要明确影响质量的控制节点,以及如何进行质量检查、控制。

(5)质量管理计划要简明扼要,便于操作。质量管理计划繁简程度应与项目业主要求及项目组织的工作方式相适应。

(6)计划执行中,要不断要求反馈执行信息,及时解决执行中出现的问题。

三、咨询成果质量评价的标准

工程咨询成果评价标准,是衡量咨询成果质量的准绳,应该是科学的、合理的、可操作的。设立评价标准的基本原则是:凡是能实行定量考核的应尽可能采用定量标准;不能定量考核的要有明确的定性要求。要把是否坚持"客观、公正、科学、可靠"的原则,能否真实、全面地反映工程项目的有利和不利因素作为评价质量的重要标准。

但是,对前期工作的工程咨询成果,绝大多数是很难用定量标准来衡量和评价的,这就要求有一套定性的评价标准来进行评价。不同性质、不同类型的工程项目,其目标和评价标准有所不同,但一般应考虑下列基本方面:

(1)工程咨询成果必须符合国家和水利行业要求。咨询成果首先要符合国家的宏观经济调控政策、产业发展政策、可持续发展政策的要求,符合国家和水利部门颁发的法律、法规、规范、标准等要求。

(2)工程咨询成果必须符合国民经济和社会事业发展的根本利益。工程咨询成果质量,将影响工程项目建成后的作用和社会效益。许多工程项目关系到国民经济、社会事业的发展。所以,工程咨询成果必须有利于社会公共利益。

(3)工程咨询成果必须符合项目业主的要求。工程咨询单位必须认真执行合同,严格按合同要求办事,按合同规定向项目业主交付合格的咨询成果,使项目业主满意。

(4)工程咨询成果还要注意满足建设各相关方的要求。一个大型工程项目有多个参与方参加工作,工程咨询成果必须有可操作性,并且通过咨询成果的实施,使各参与方都能获得利益,充分发挥和调动各参与方的积极性和创造性,这样才能保证工程咨询成果质量顺利实现。

第三节 工程项目设计阶段质量管理

一、设计质量管理的基本要求

水文水资源设施工程设计总的要求是:在满足项目业主对工程项目的功能和使用价值需要的情况下,正确处理项目业主的需要与投资、资源、技术、环境、标准、法规之间的关系,尽量做到适用、经济、美观、安全、节能、节约用地、生态环保和可持续发展等。具体要求是：

(1)符合国家相关工程建设及质量管理方面的法律、法规。

(2)符合有关水文水资源设施工程建设的相关技术标准和规范,如各种设计规范、规程、标准,设计参数的定额、指标、造价等。

(3)符合经过批准的工程项目建议书、工程项目可行性研究报告、工程项目评估报告及选址报告的内容要求。

(4)体现项目业主建设意图的设计规划大纲、设计纲要和设计合同等。设计文件要满足施工要求,不能因设计原因影响工程进度和工程质量。

(5)反映工程项目建设过程中及建成后所需要的有关技术、经济、资源、社会协作等方面的协议、数据和资料。

(6)设计图纸要齐全,各方面的计算要准确,技术要求要明确,设计单位有义务帮助实施单位了解和掌握图纸要求及设计意图。

二、设计阶段要处理好投资、质量、进度三者之间的关系

在设计阶段,处理好投资、质量、进度三者之间的关系,是咨询工程师的一项重要任务。

设计阶段的投资控制,就是要追求投资的合理化。即在满足项目业主所需功能和使用价值及保证质量的前提下,所付出的费用最小,原则上不超过项目业主规定的投资控制限额。

设计阶段的质量控制,就是要追求质量的优良化。即在一定投资限额约束下,能达到项目业主所需要的最佳功能和较高质量水平。

设计阶段的进度控制,是依据实现工程项目总工期的目标要求,对设计工作进度进行计划、监督和协调。使设计进度不影响施工、制造和采购进度,更不影响工程项目总进度。

在投资、质量、进度三者之间关系中,质量是最重要的,因为设计工作质量低劣,将会给工程项目带来严重的后果。

三、设计过程质量管理

(一)设计策划

设计策划是指针对某设计项目建立质量目标,规定质量要求和安排应开展的各种活动。项目的设计策划要形成文件,通常以项目设计计划的形式编制,作为项目设计管理和控制的文件。

项目设计计划除应包括项目质量目标和对设计质量控制的要求外,还应包括以下内容:

(1)项目概况;

(2)项目设计范围及设计分工;

(3)设计指导思想和设计原则;

(4)用户对设计工作的特殊要求;

(5)设计人工时估算及设计组织,包括专业负责人,主要专业的设计、校核、审核人员及其职责;

(6)设计工作程序、设计进度计划、设计主要里程碑进度计划;

(7)设计各阶段设计评审的安排;

(8)设计采用的标准、规范;

(9)必要的附件,包括设计合同或设计任务书、设计项目表、项目基础资料、项目设计数据表。

(二)设计工作各有关方的衔接

1.设计与各专业的衔接

设计各专业之间的组织接口应形成文件,包括各设计专业的职责、分工和专业之间的关系,并由公司技术管理部门定期组织其有效性的评审。

各专业衔接的主要工作是:

(1)设计的技术接口是指设计各专业之间的文件和条件的传递。

(2)提出条件的专业在条件表发出前应进行校审。设计人、校审人及专业负责人对所提出的条件的正确性、合理性负责。

(3)接收条件的专业在接到条件表后,应对条件进行评审,检查其完整性和适用性。

(4)接口条件的修改,必须按原程序进行校审,一般应按版次修改的方式进行。

(5)设计技术接口的内容在各专业作业指导书及条件表中规定。

(6)各专业之间文件和条件的传递,应按设计计划和设计程序要求的时间,按时提交,以保证后续专业的设计工作质量。

2.设计与采购的衔接

(1)设计部门负责编制采购文件的技术部分,内容包括设备、材料采购清单,技术要求、图纸、技术数据表、采购说明书等。编写好的技术文件应按设计文件的校审程序进行校审。

(2)采购部门对收到的询价技术文件的完整性进行核查,与由采购部门完成的商务文件,组成完整的询价文件并向供货厂商发出询价。

(3)采购部门收到报价书后将技术部分送交设计部门评审,并注明要求完成日期。设计部门要说明技术方面推荐或否定的理由。对可以接受的厂商,应按推荐的次序列出,并将评审意见和结果送采购经理。

(4)对主要的关键设备必须及时召开制造厂商协调会议,落实技术和商务问题。设计部门负责落实技术问题,采购部门负责落实商务问题。

(5)供货厂商提供的图纸、资料由采购部催交,收到后提交给设计部门并由设计部门确认。有异议的图纸、资料,由采购部门负责要求供货厂商提供修改后的图纸、资料,以便重新确认。

(6)必要时,设计人员应协助采购部门处理有关设计问题和技术问题,参加采购产品质量验证工作。

3.设计和施工组织的衔接

(1)设计文件编制中,设计人员应考虑到设计的可实施性。施工单位提出的施工安装要求,设计人员应予以充分重视。重大施工方案,设计人员可参与共同研究,设计评审时,也可邀请施工单位参与,使设计方案与施工方案协调一致。

(2)设计文件中应包括施工要求、安装说明书以及施工验收标准。对全部设计文件所涉及的设计内容,均应提出验收标准,达到什么标准为合格,应有规定。

(3)设计人员一般应向施工单位进行设计交底,解答施工单位的问题,使其充分了解设计意图。

(4)施工过程中,协助施工部门解决设计更改问题。必要时参加施工质量检查和施工不合格品处理。

四、设计文件的会签

会签是详细工程设计(施工图设计)过程的最后一道工序,是保证设计成品质量的又一重要质量活动。会签分综合会签和专业会签。综合会签是为保证各专业或设计区域范围内布置合理、互不碰撞。专业会签是为保证接受条件专业的设计图纸与条件要求相符。

会签内容应包括:

(1)各类设施的布置是否恰当,无碰撞。

(2)各类接口是否统一协调,是否符合设计条件。

(3)各专业的设计文件是否相互满足,无遗漏。

五、设计评审

(一)设计方案的评审

(1)设计方案是决定设计质量和技术水平的关键。设计阶段,必须对方案进行充分讨论和认真评审,以确定先进、合理、可靠的设计方案。

(2)成熟技术的设计方案可由专业设计部门组织评审。

(3)评审会由专业设计部门介绍方案比较情况及推荐的方案。

(4)评审会经充分讨论后,由主持人做出明确结论。

(5)会议纪要由项目经理、设计经理、技术部门负责人及评审会主持人共同签署。

(6)评审会后,方案再有重大变化,需提出重新评审的申请及理由。评审会将按照程序重新进行。如仅需对原评审意见进行局部修改,则按变更进行处理,送原会议主持人核签后,发送至原发送范围执行。

(二)初步设计的评审

(1)初步设计完成后,在进行复制之前应组织评审。评审会由项目经理提出申请,公司技术管理部门负责组织。公司分管副总经理或总工程师(或其委托人)主持。公司有关专业部室、专家、专业负责人参加。

(2)评审会应形成会议纪要。会议纪要应由设计经理发送设计的相关专业,并负责组织各专业按会议纪要内容进行修改。

(3)经修改并完成校审和签署的初步设计文件,方可复制并送给用户。

(4)必要时,由有关的评审部门或用户组织初步设计评审。评审的意见应形成纪要,由主审部门或用户办理生效手续。

(三)施工图设计的评审

(1)施工图设计按专业由专业室组织评审。一般由评审人按要求进行。设计者按校审意见进行修改并完成校审签署后,方能入库并复制发送给用户。

(2)施工图设计的外部评审。用户有权要求对详细工程设计的最终成品组织评审。必要时由用户组织施工图设计成品的评审,协调一致的意见由设计经理组织,按设计更改程序进行修改。

第四节　施工阶段的质量管理

一、施工阶段质量管理的依据

(一)工程承包合同文件

工程施工承包合同文件规定了参与建设的各方在质量控制方面的权利和义务的条款,有关各方必须履行在合同中规定的有关质量的承诺。监理工程师要履行委托监理合同的条款,督促有关单位履行有关的质量控制条款。

(二)设计文件

工程设计文件规定了工程质量的固有特性,"按图施工"是施工阶段工作的重要原则,因此经过批准的设计图纸和技术说明书等设计文件,是质量控制的重要依据。施工单位和监理工程师要全面熟悉图纸,掌握设计意图和质量要求。

(三)法律法规性文件

国家及政府有关部门颁布的有关质量管理方面的法律、法规性文件,以及水利项目行业主管部门制定和颁发的有关法规性文件等。

(四)有关质量检验与控制的专门技术法规性文件

主要是有关部门针对不同行业、不同质量控制对象而制定的技术法规性文件,包括各种有关的标准、规范、规程或规定。

二、施工单位的质量管理工作

(1)在施工阶段,施工单位是工程质量形成的主体,要对工程质量负全面责任。施工单位要设立专门主管质量的副总经理,协助最高管理者加强质量管理。要建立质量管理的职能机构,领导、监督各级施工组织加强质量管理。

(2)施工单位要建立健全质量管理体系,编制质量管理体系文件。包括质量手册、程序文件、作业手册和操作规程。体系文件是施工单位工程质量管理的依据,要组织全体职工认真学习讨论,全面贯彻落实,形成人人重视工程质量的氛围。

(3)要根据工程的特点,结合施工组织设计的编制,制定项目质量计划,将工程质量层层分解、下达和落实。

(4)确定过程质量控制点、质量检验标准和方法。质量控制点一般是指对项目的性能、安全、寿命、可靠性带有影响的关键部位或关键工序,这些控制点的质量得到控制,工程质量就得到了保证。

（5）按质量计划实施过程控制，前后工序间要有交接确认制度。关键质量控制点实行施工质量认可签字制度。

（6）加强进场材料、构配件和设备的检验。材料、构配件和设备是永久性工程的组成部分，对工程质量影响极大。凡是进入现场的材料、构配件和设备，生产厂家都要提供质量合格文件，即产品合格证、技术说明书、质量检验证明等。施工单位质检部门要对现场的材料、构配件和设备进行逐项检查。凡是不符合设计文件和图纸要求，不符合合同文件质量条款的，一律不能使用。

（7）建立质量资料记录制度。质量资料是实施质量控制活动的记录，它详细地记录了工程质量控制活动的全过程。它不仅对工程质量控制有重要作用，而且对竣工、投产运行、完工后的维修管理都是有用的记录资料。质量记录资料包括施工现场质量管理检查记录资料、质量证明资料、施工过程作业活动质量记录资料等。质量记录资料应当真实、齐全、完整，相关人员签字要齐全，字迹要清楚。

三、咨询（监理）工程师的质量管理工作

咨询（监理）工程师根据监理合同的要求，在施工过程中，代表项目业主对工程实行质量监控，其主要工作有如下几方面。

（一）施工前准备阶段的质量管理

1. 对施工单位进行核查与监控

对施工单位资质进行核查，使施工单位的资质等级与承揽的工程项目要求相一致；对施工人员素质和人员结构进行监控，使参与施工的人员技术水平与工程技术要求相适应。

2. 对施工组织设计和质量计划进行审查

施工组织设计，包括施工方案、施工方法、进度计划、施工措施、平面图布置等。施工组织设计是施工准备和施工全过程的指导性文件。为了确保工程质量，承包单位有的编制了专门的质量计划，有的在施工组织设计中加入了质量目标、质量管理、质量保证措施等质量计划的内容。对施工组织设计，要着重审查下列几点：

（1）施工组织设计的编制、审查和批准应符合规定的程序。

（2）施工组织设计应符合国家的技术政策，充分考虑承包合同规定的条件、现场条件及法规条件的要求，突出"质量第一、安全第一"的原则。

（3）施工组织设计要有较强的针对性。

（4）施工组织设计要有可操作性，即切实可行。

（5）技术方案先进性，即采用的技术方案和措施先进、适用、成熟。

（6）质量管理体系和技术管理体系健全完善。

（7）施工现场安全、环保、消防和文明施工符合规定。

（8）在满足合同和法规要求的前提下，在审查过程中要尊重施工单位的自主决策和自主管理权。

3. 对进场的原材料、构配件和设备的监控

进场的原材料、构配件和设备经施工单位自检后，咨询（监理）工程师对检查合格产品进行审核。凡是不合格的不能进入现场，更不得在施工中使用。

4.对施工机械设备的监控

（1）施工机械设备的选择，应考虑施工机械的技术性能、工作效率、工作质量、可靠性和维修难易、能源消耗，以及安全、灵活等方面对施工质量的影响。

（2）审查施工机械设备的数量是否足够保证施工质量。

（3）审查所需的施工机械设备，是否按已批准的计划备妥；所准备的机械设备是否与咨询（监理）工程师审查认可的施工组织设计或施工计划中所列者相一致；所准备的施工机械设备是否完好等。

5.组织设计交底会议

为了使施工单位了解设计意图，咨询（监理）工程师要组织由设计单位和施工单位参加的设计交底和设计会审会议。同时，根据施工图和设计说明书中的要求，督促施工单位按时准备好技术标准、图册、规范、规程等一系列文件。

6.对施工单位质量管理体系的检查

检查施工单位是否建立健全了质量管理体系，体系文件是否按照本工程项目的性质和特点，进行了整合和调整，对本工程质量起到控制作用。

（二）施工过程的质量控制

1.对施工单位质量管理体系实施状况的监控

施工单位是否真正按质量管理体系文件执行，管理体系的运行是否发挥良好的作用，有何不足和问题。如果达不到质量目标的要求，对该体系要进行持续改进和调整。

2.对关键质量点跟踪监控

监督检查在工程施工过程中的施工人员、施工机械设备、材料、施工方法及工艺或操作是否处于良好状态，是否符合保证质量的要求。现场监督检查的方式，一是旁站与巡视检查，二是平行检查。对于重要的工序和部位、质量控制点，应在现场进行施工过程的旁站监督与控制，确保工程质量。

3.处理设计变更

施工过程中，由于前期勘察设计的原因，或由于外界自然条件的变化，以及施工技术方面的限制、建设单位要求的改变，均会涉及到设计变更。设计变更要引起工程变更，因此做好设计变更的控制工作，也是施工作业过程质量控制的一项重要内容。

4.做好施工过程中的检查验收工作

对于各工序的产出品和重要的部位，先由施工单位按规定自检，自检合格后，向监理工程师提交"质量验收通知单"，经咨询（监理）工程师检验确认合格后，才能进入下一道工序施工。

5.工程质量问题和质量事故的处理

当施工出现质量问题时，应立即向施工单位发出通知，要求其对质量问题进行补救处理。当出现不合格产品时，咨询（监理）工程师应要求施工单位采取措施予以整改，并跟踪检查，直到合格为止。交工后在质量责任期内出现质量问题时，监理工程师应要求施工单位进行修补或返工，直到项目业主满意为止。

6.下达停工和复工指令，确保工程质量

当施工现场出现质量异常情况又未采取有效措施，隐蔽作业未经检验而擅自封闭，未经同意擅自修改设计或图纸,使用不合格的原材料、构配件等,发现上述情况之一者,咨询(监理)工程师应下达停工指令,纠正之后下达复工指令。

第七章　建设项目进度管理和控制

第一节　建设项目进度管理和控制的意义及任务

一、概述

建设项目管理的目的,是采取有效的措施,确保建设项目总体目标实现最优。建设项目进度管理,是对项目建设周期所进行的有效的规划、组织、协调、控制等系统的管理活动,其目的是达到项目的进度目标。在建设项目管理中,进度管理主要是时间及计划管理,同时涉及费用、范围、协调、采购、交接等管理。建设项目进度管理贯穿项目建设的全过程,是建设管理控制的重要环节。

建设项目进度管理和控制,是指为达到建设项目的进度目标要求所采取的作业技术活动。具体说,一是对各建设阶段的工作内容、工作程序、持续时间和衔接关系,编制进度计划,确定进度目标,并将计划付诸实施;二是将实施过程及其结果进行全面观测检查,与计划进度进行对比和分析,找出偏差及其原因,采取控制、预防和补救措施,适时调整和修改进度计划,直到达到预定目标。

二、建设项目进度管理和控制的意义

进度管理和控制的意义,体现在宏观上就是给国家、社会及环境带来的效益;在微观上就是给项目业主(投资者)带来的效益。水文水资源设施建设项目最直接的体现就是建设项目的巨大经济效益和社会效益,能为水资源的调度管理、防洪减灾等带来可观的经济效益和社会效益。

(1)建设项目工程进度与投资紧密联系在一起。项目建设及生产的资金流计划是依据建设及生产计划确定的,建设进度发生任何偏移,都可能导致资金流计划的改变。当建设进度发生重大偏移时,可能导致项目建设资金短缺或资金积压,使投资者的资金筹措和调配陷入被动,最终可能带来无法预计的经济损失。因此,按进度计划施工,有利于资金筹措和合理调配,发挥资金效益。

(2)项目建设是在有限资源约束条件下进行的,项目业主、工程设计、建筑施工、设备和材料供应、工程监理等各方都是依据进度计划合同配置各自的资源,如材料供应、永久性设备的供货,工程设计、工程监理投入的人员,建筑施工单位人、财、物、机的配置等。在考虑资源效益时,通常按照均衡生产或者按照进度计划以一定程度的不均匀系数配置资源。在项目建设过程中,若发生意外的进度延期,需安排规模很大的赶工甚至"会战"等,都可能导致资源短缺,从而增加建设成本。

三、建设项目进度管理和控制的任务

建设项目决策后进度管理和控制的主要任务有：设计阶段进度管理和控制，建设准备阶段的进度管理和控制，施工阶段的进度管理和控制及竣工阶段的进度管理和控制等。

(一)建设准备阶段的进度管理和控制的主要任务

(1)根据建设项目决策时确定的建设项目工期总目标，编制建设项目总进度计划。

(2)编制里程碑控制进度计划。

(3)编制准备阶段详细工作计划并控制其执行。

(4)编制工程设计工作进度计划并控制其执行。

(5)编制招标进度计划并控制其执行。

(6)提供详细全面的设计供图计划并全过程控制其执行。

(二)施工阶段的进度管理和控制的主要任务

(1)编制工程施工进度计划并控制其执行。

(2)根据建设项目业主与有关各方签订的合同和协议，如施工、监理、物资、设备采购及供货等合同以及征地移民协议等，编制协调进度计划。

(3)编制主要材料、物资、设备供应总进度计划。

(4)审批承包商、供货商的总进度计划。

(5)根据工程进展，在里程碑计划的框架内不断更新和调整计划。

(6)全面控制上述计划执行。

(三)竣工阶段的进度管理和控制的主要任务

(1)编制各项竣工验收工作详细进度计划并控制其执行。

(2)编制建设项目交付生产运行管理进度计划并控制其执行。

第二节　施工进度计划编制

一、影响工程进度的主要因素

工程建设进度控制是一个动态过程，影响因素多，风险大，要达到有效地控制进度，必须对影响进度的因素进行认真的分析和预测，事先采取措施，适应变化，尽量缩小计划进度与实际进度的偏差，实现对建设项目的主动控制。

首先，进度控制的影响因素来自于勘测设计单位，包括勘测设计目标的确定，可投入的勘测设计力量及其工作效率，各设计专业的配合状况，工程设计的难度，审查文件的进展速度，以及建设单位与设计单位的协作状况等。

其次，进度控制的影响因素来自于施工单位，包括施工进度目标的确定，施工组织设计(施工规划)的编制，施工企业的生产能力和管理素质，投入的人力和装备规模，以及分包施工单位的进度保证能力等。

以上诸多的影响因素既是客观存在的，许多又是人为的，可以预测和控制的。建设监理单位的进度控制，既构成了影响进度的重要因素，又可以通过签订合同，接受建设单位

的委托,采用有效的方法和手段,对各种进度控制的影响因素实施干预,以确保进度控制目标的实现。

二、进度计划的基本表示方法

工程项目进度计划常用的表示方法有以下几种。

(一)横道图

横道图是一种比较简单、直观的进度控制图,如图 7-1 所示。

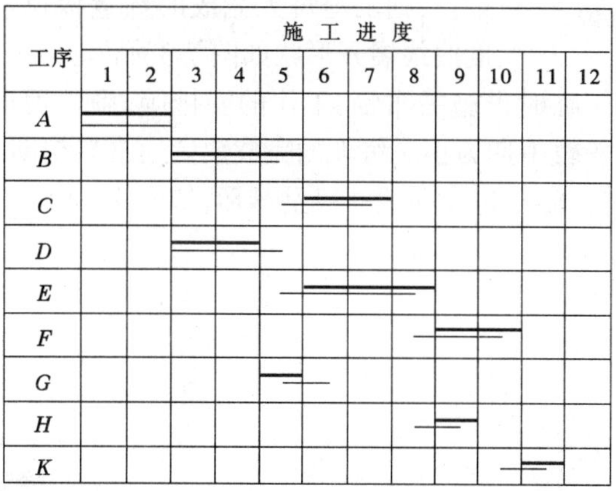

工序	施工进度											
	1	2	3	4	5	6	7	8	9	10	11	12
A												
B												
C												
D												
E												
F												
G												
H												
K												

图 7-1　横道图示例

图中粗实线表示计划进度,细实线表示实际进度。

在工程的施工进度控制上,应时常了解工程的施工状况,以便尽早发现计划与实际之间的偏差,谋求修正的方法。施工进度控制可利用横道图来进行。利用横道图进行进度控制时,应将每天、每周或每月定期的工程施工实际情况记录在工程施工进度表内,用以比较计划进度与实际进度,检查实际执行的进度是超前、滞后,还是按照预定计划进行。若通过检查,得知工程项目进度滞后了,则应立即提出说明进度滞后的报告,采取必要的措施,改变滞后状况。

图 7-1 中所示工程施工进度情况中,在第五周末检查时,A 工序已全部完成,B 工序超前了半周,而 D 工序拖延了半周,应找出实际进度落后和超前的原因,并及时采取必要的措施修改调整原计划。

横道图具有直观、易懂、绘制简便、所需时间少、费用低的优点,但从图中不容易看出各工序之间相互依赖、相互制约的关系,看不出一个工序提前或推迟完成对整个进度计划有无影响和影响程度,看不出哪些是关键工序等。因此,利用横道图控制大而复杂的工程进度是困难的。

(二)工程施工进度曲线

一般进度控制是利用施工进度表来执行的,但横道图进度表在计划与实际的对比上,很难准确地表示出实际进度较计划进度超前或延迟的程度。为了准确掌握工程进度状况,有效地进行进度控制,可利用工程施工进度曲线。

施工进度曲线图一般用横轴代表工期、纵轴代表工程完成数量或施工量的累计量(如

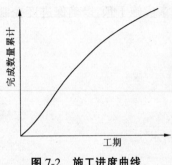

图 7-2　施工进度曲线

图 7-2 所示），将有关数据表示在坐标纸上，就可确定出工程施工进度曲线。把计划进度曲线与实际施工进度曲线相比较，则可掌握工程情况，并利用它来控制施工进度。工程施工进度曲线的切线斜率即为施工进度速度，它是由工程数量与施工机械、劳动力等因素的施工速度决定的。

（1）在固定的施工机械、劳动力条件下，若对施工进行适当的控制，无任何偶发的时间损失，能以正常施工速度进行，则工程每天完成的数量保持一定。这时，其施工进度曲线展开形状如图 7-3 所示。

（2）在施工初期由于临时设施的布置、工作的安排等，施工后期由于装修、整理等原因，施工进度的速度一般较中期为小。每天的完成数量通常自初期至中期呈递增趋势，由中期至末期呈递减趋势。施工进度曲线一般呈 S 形，如图 7-4 所示，其拐点发生在每天完成数量的高峰期。

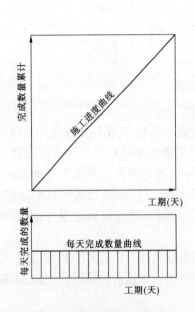

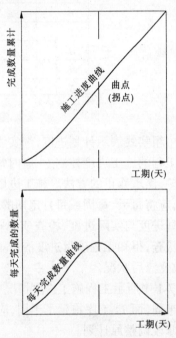

图 7-3　每天完成数量一定时的施工进度曲线

图 7-4　每天完成数量随进度改变的施工进度曲线

现以 $y=f(x)$ 表示施工进度曲线，则 dy/dx 表示曲线 $y=f(x)$ 在点 $[x,f(x)]$ 处切线的斜率，它的值表示进度 x 上的进度速度。dy/dx 为最大值时，表示每天的完成数量为最大，施工机械及劳动力在工程上需要最大的作业能力。因此，倘若在施工期间内作业能力经常保持一定，则施工机械等的施工效率随着施工进度曲线 dy/dx 的增加而提高。一般机械、劳动力施工效率的变化情形与施工进度曲线的变化相似。为了减少施工效率的分散及提高施工的经济性，施工进度曲线应尽可能呈直线才合理。因此，即使在 S 形施工进度曲线上，除去施工初期及末期的不可避免的影响所产生的凹形及凸形部分外，中间的最盛期部分应尽量呈直线才是最有利的。

现以图7-5所示的施工进度曲线与切线的关系,分析工程延迟的界限。

图7-5中的实线代表某工程计划施工进度曲线,虚线代表其实际实施的进度曲线。引计划施工进度曲线上 a_1、a、a_2、a_3 的切线:a_1b_1 为 a_1 点的切线,b_1 点在 b 点的右侧,表示若以 a_1 点的速度施工,则赶不上工期;ab 为 a 点的切线,若以 a 点的速度施工,则正好赶上工期;a_3b_3 为 a_3 点的切线,b_3 点在 b 点的左侧,表示足够赶上工期;a_2b_2 为 a_2 点的切线,b_2 点在 b 点的最左侧,表示施工速度最快。另一方面,a_4b_4 为实际施工进度曲线上的

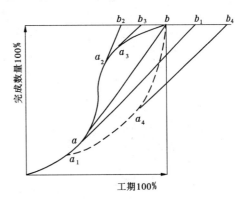

图7-5　施工进度曲线与切线的关系

任意一点 a_4 的切线,b_4 点在 b 点的右侧,表示以 a_4 点的速度施工赶不上工期。图7-5中实际进度曲线在末期也向下凹的形状,表示为按期完工,赶工作业需持续到最后。

由以上分析,从进度控制的3个条件:工期、质量和经济性(成本)的观点来看,为了避免曲线后半部呈凹形的不良状态,超过 a 点以后曲线各点的切线与通过 b 点的并与横轴平行的直线的交点,应在 b 点的左侧才行。因此,由 b 点引出计划施工进度曲线的切线 ab 为实际进度曲线的下方界限,与以容许的最低施工速度实施工程时的进度曲线一致。若实际进度曲线在切线 ab 的下方时,则需进行赶工作业。

(三)施工进度管理控制曲线

计划施工进度曲线是以施工机械、劳动力等的平均施工速度为基础而确定的,故实质上具有一定的弹性。由于实际工程条件及管理条件的变化,实际进度曲线一般与计划施工进度曲线不一致,有一定的偏差。这种偏差应有适当的界限,若偏离太大,则需追赶至恢复其正常的状态。总之,若能使实际施工进度曲线经常保持在一定的安全区域内,工程才能顺利完成。这种安全区域,可由工程施工进度管理控制曲线求得。

施工进度管理控制曲线所指施工进度率的容许安全区域,表示能满足施工管理基本条件(工期、质量、成本)的施工进度曲线的变化区域。实施赶工作业虽能恪守工期,但往往出现工程质量粗糙以及不经济现象,故不实施赶工作业的良好施工速度范围就是容许安全区域。

下面分析管理控制曲线的容许下限及容许上限。为简单起见,假设工程累计完成数量与工期成比例增加。在图7-6中,工程施工进度曲线为直线 ob,在同样假设条件下,直线 cb 指开工在可能范围内延迟了总工期 x% 时的施工进度曲线。若施工进度曲线 ob 是以机械或劳动力的平均施工速度施工时的曲线,则施工进度曲线 cb 应为管理控制曲线的下限,是在正常状态下所能被期待的最佳进度曲线,亦即表示在施工效率正常化区域内,能以最大效率持续施工时的进度曲线。

在图7-6中,假设施工进度曲线 ob 情况下的施工速度为 E_1,进度曲线 cb 情况下的

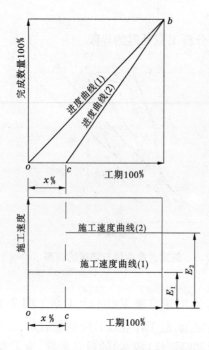

图 7-6 施工进度曲线的容许下限

施工速度为 E_2，由于这两者完成工程量一样，故有

$$E_1 \times 100 = E_2 \times (100 - x)$$

由以上关系求得

$$x = \frac{100(E_2 - E_1)}{E_2}$$

式中 E_1——平均施工速度；

         E_2——在施工速度正常变化区域内能够达到的最大速度；

         x——施工进度延迟占总工期的百分数（延迟了工期的 $x\%$）；

      100——工程施工进度为 100%。

管理控制曲线的容许上限，表示开工后在施工速度的正常变化区域内，能以最大速度持续施工时的进度曲线。因此，表示容许上限或工期压缩的容许界限的施工进度 $x'\%$，可由下式求得

$$x' = 100 - x$$

（四）形象进度图

形象进度图是把工程进度计划以建筑物形象升程来表达的一种控制方法。这种方法系直接将工程项目进度目标和控制工期，标注在工程形象图的相应部位，故非常直观，进度计划一目了然，特别适用于施工阶段的进度控制。此法修改调整进度计划极为简便，只需修改日期、升程，而形象图依然保持不变。

（五）网络计划

利用横道图来控制进度有一个较大的缺点，就是很难迅速准确地了解工作的延迟及变化对于整个工期的影响，而且在众多工作中不能预选确定哪些是关键工作，特别是在监理工作中处理某些索赔及判断工期是否延长等问题时，更是束手无策。用网络计划进行进度控制，不仅能够将现在和将来完成的工程内容、各工序间的关系明确地表示出来，而且能预先确定各工作的时差，明确关键工作以及进度超前或落后将对以后工程施工和总工期产生多大影响等。当发现某工序施工拖期，将影响总工期时，就可采取措施赶工或对计划进行必要的调整，以保证工程按期完工。

第三节　工程项目施工进度的检查、分析与调整

一、施工进度检查

施工进度检查的目的是弄清楚整个项目已进行到什么程度，进度是超前还是落后。检查的方法就是将实际进度与计划进度对比，从中找出问题。进度检查的内容包括：工程形象进度检查，设计图纸及技术报告编制工作进展情况，设备采购的进展情况，材料加工或供应情况等。下面介绍应用网络计划进行进度检查的定量方法。

(一)前锋线检查法

实际进度前锋线简称为前锋线,是我国首创的用于时标网络计划控制的工具,它是在网络计划执行中的某一时刻正进行的各工作的实际进度前锋的连线,在时标网络图上标画前锋线的关键是标定工作的实际进度前锋位置。其标定方法有以下两种:

(1)按已完成的工程实物量比例来标定。时标网络图上箭线的长度与相应工作的历时对应,也与其工程实物量的多少成正比,检查计划时某工作的工程实物量完成了几分之几,其前锋点就从表示该工作的箭线起点自左至右标在箭线长度的几分之几的位置。

(2)按尚需的工作历时来标定。有时工作的历时是难以按工程实物量来换算的,只能根据经验用其他办法估算出来。要标定检查计划时的实际进度前锋点位置,可采用原来的估算办法,估算出从该时刻起到该工作全部完成尚需要的时间,$B=1$,表示该工作进展速度与原计划进度相当;$B<1$,说明其线路的实际进展速度小于原计划进度。

前锋线的检查成果直观明了,一般人员都能看懂,所以每次前锋线检查可以出示,让各级管理人员及工人们都知道,有利于加快施工进度。

(二)切割检查法

当采用无时标网络计划进行进度控制时,可采用直接在图上按检查基准日期切割网络图的计算方法,其具体步骤如下:

(1)去掉已经完成的工作,对剩余工作组成的网络计划进行分析。

(2)把当前检查日期作为剩余网络计划的开始日期,估算出那些正在进行的剩余工作所需的历时并标于网络图中,其余未进行的工作仍以原计划的历时为准,除非有充足的理由进行历时的变化。

(3)计算剩余网络计划的时间参数,以当前时间为网络的最早开始时间,计算各工作的最早开始时间。各工作的最迟开始时间保持不变,然后计算各工作总时差。若产生负时差,则说明项目进度拖后,应在出现负时差的工作路线上,调整工作历时,消除负时差,以保证工程按期实现。

二、施工进度的分析与调整

(一)施工进度的分析

施工进度的分析,主要是依据进度检查得到的施工进度、设计进度、设备采购进度、材料供应进度等资料,根据合同或计划中规定的目标进行动态预测,估计各工作按阶段目标、里程碑节点控制时间以及工期要求完成的可能性。

施工进度检查的结果不管是超前还是落后,都应该根据工作的进展速度,图纸、材料、设备等的供应进度,对下阶段的目标按期完成的可能性做出判断,若不能完成,应采取相应的措施。

(二)施工进度的调整

1.施工进度调整方案

施工进度的调整一般有 3 种方案可供选择。第 I 方案是原计划范围内的调整;第 II 方案要求修订计划或重新制定计划;第 III 方案则要求修改或调整项目进度目标。一般情况下,只要能达到预期目标,调整应越少越好。

2.施工进度调整的制约因素

进行项目进度调整时,应充分考虑下列各方面因素的制约:

(1)后续施工项目合同工期的限制;

(2)进度调整后,会不会给后续施工项目造成赶工或窝工而导致其工期和经济上遭受损失;

(3)材料物资供应需求上的制约;

(4)劳动力供应需求的制约;

(5)工程投资分配计划的限制;

(6)外界自然条件的制约;

(7)施工项目之间逻辑关系的制约;

(8)后续施工项目及总工期允许延期的幅度。

工程项目进度管理涉及的技术性问题较多,可参阅有关的书籍和文献,以帮助巩固和加深对工程项目进度管理的理解。

第八章　建设项目投资控制

第一节　建设项目总投资的基本概念及构成

一、建设项目总投资的基本概念

建设项目总投资是投资主体为获取预期目标效益,而进行某项选定的工程项目建设所花费的全部费用。通常由固定资产投资和流动资产投资两部分组成。

(一)我国现行建设项目估、概算总投资构成

按我国现行规定,建设项目总投资由固定资产投资和流动资产投资两部分组成。具体构成如图8-1所示。

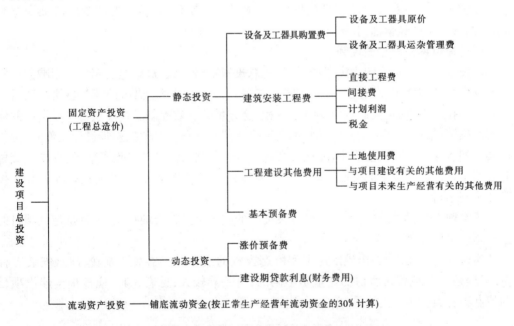

图 8-1　我国现行建设项目总投资的构成

1.固定资产投资

建设项目总投资中的固定资产投资,是通常说的建设项目的工程总造价。按现行规定,固定资产投资由设备及工器具购置费、建筑安装工程费、工程建设其他费用、预备费、建设期贷款利息(财务费用)等组成。当项目竣工验收交付资产时,固定资产投资一般形成固定资产、无形资产及其他资产三部分;也有部分生产性建设项目,为保证项目竣工后顺利生产,在初步设计概算固定资产投资中,安排了部分生产设备备品、备件购置费用,这

部分生产设备备品、备件购置费用在竣工交付资产时形成流动资产。

一个建设项目从项目投资决策到竣工决算，都有一个较长的建设周期。在较长的建设期内，设备、材料、人力资源等市场价格，贷款利率、外汇汇率、税费等政策要素都可能会发生较大的变化，影响建设项目的最终造价。为加强管理，常常把固定资产投资概算分为静态投资和动态投资两部分。

(1)静态投资。包括设备及工器具购置费、建筑安装工程费、工程建设其他费用和基本预备费。静态投资是在估、概算编制时，以某一基准年、月的建设要素市场价格为依据，计算出的建设项目固定资产投资(亦称初始投资)，它应包括工程量估算误差等因素而引起的工程造价的增减。

(2)动态投资。包括涨价预备费和建设期贷款利息(财务费用)，是指考虑建设期贷款利息，要素市场价格及汇率、税费变化等动态因素影响的投资。在固定资产投资中安排动态投资符合市场价格变动机制的要求，使估、概算投资的编制及控制更加符合实际。

2.铺底流动资金

铺底流动资金是生产经营性项目保证投产后正常生产经营所需的最基本的周转资金数额。按我国现行规定，铺底流动资金按建设项目投产后正常运行所需全部流动资金总额的30%计算，并列入建设项目总投资，在项目竣工交付时，按批准的铺底流动资金数额，全额移交生产经营部门。

(二)建设项目总投资控制

建设项目总投资中的固定资产投资，是总投资中最活跃、最敏感的部分。影响固定资产投资变化的因素多，动态性强。因此，在工程建设中为达到预期的目标，必须从项目决策到竣工投产，对固定资产投资实行全过程、全方位的有效控制。建设项目总投资中的流动资产投资(铺底流动资金)在编制、审批项目建议书、可行性研究、初步设计文件时，必须落实并列入建设项目总投资中；在项目实施阶段不得挤占流动资产投资额度；在竣工交付时必须按批准总投资中的铺底流动资金全额移交生产经营部门，以保证建设项目竣工投产后顺利运行。

建设项目总投资控制，实质上是总投资中的固定资产投资的控制，也就是建设项目的工程总造价的控制。

建设项目性质不同，构成固定资产静态投资的设备及工器具购置费、建筑安装工程费、工程建设其他费用所占的比重是不同的，且差异较大，见表8-1。应该根据建设项目的特点和各类费用所占比重，确定投资控制的重点。

表8-1　各类建设项目主要投资构成比重参考表　　　　　　　　(%)

项目类别	工业性新建项目	工业性技改项目	交通运输等 基础项目	非生产性公用 事业项目
设备及工器具购置费	50~60	60~70	10~30	10~20
建筑安装工程费	30~40	20~30	60~80	65~80
工程建设其他费用	10~20	6~10	10~15	10~15

二、建设项目投资的计价特点和模式

建设项目具有周期长、规模大、投资构成复杂、建设环节多、影响投资变化的因素多等特点。这些特点决定了建设项目投资的计算不同于一般工业产品价格的计算,有其特有的计价特点和计价模式。了解这些计价特点和计价模式,对建设项目总投资的确定和有效控制是非常必要的。

(一)计价特点

(1)单件计价。不同的建设项目,建设地点和建设条件不同,建设项目的用途、功能、规模、结构、工艺要求、设备配置、内外配套、建设标准不同,导致了建设项目的造价千差万别、各类费用构成的比重差异很大。因此,需要根据建设项目规划、设计的具体工程内容、建设条件,从最基本的分部分项工程开始,进行单件计价,最后按项目组成汇总集成投资。

(2)多次计价。建设项目从项目策划开始,一般要经过项目建议书、可行性研究、初步设计、技术设计、施工图设计、工程招标采购、合同实施、竣工验收等多个环节分阶段进行。每个阶段都会出现影响项目投资变化的因素。为合理确定和有效控制项目投资,提高投资效益,必须相应在每个阶段进行计价,使项目投资逐步深化、细化和接近实际投资。建设项目多次计价过程如图 8-2 所示,按建设阶段的先后程序,形成了一个由浅入深、由粗到细、相互制约、前者控制后者、后者补充修正前者的建设项目总投资计价系统。

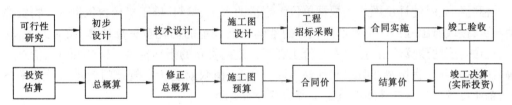

图 8-2 工程建设阶段与多次计价示意图

(3)组合计价。建设项目是由分项工程、分部工程、单位工程、单项工程组合而成的。建设项目总投资的计算与工程构成一样,也是从分项工程开始,逐项计算后组合而成的。如初步设计总概算,是由各单项工程综合概算、工程建设其他费用概算、基本预备费概算、财务费用及铺底流动资金概算汇总组合而成的。而各单项工程综合概算是由该单项工程内各单位工程概算组成;各单位工程概算由该单位工程的各分部工程概算组成;分部工程概算由该分部工程的各分项工程价格组成。由此可见,分项工程概算是项目总投资计算的基础。

(4)计价方法和计价依据的多样性。由于项目建设各阶段所掌握的条件、资料深度不同,计算的准确度要求不同,计价的方法也不同。如投资估算一般采取类似工程比较法、生产能力系数法、估算指标法等进行编制;初步设计总概算一般采取概算指标法、概算定额法、类似工程预算法编制;施工图预算则采取按施工图计算工程量、按定额计算实物消耗,按市场价格计价,按费用定额计算各项费用、利税。不同的计价适用的条件不同,在计价时应正确选择。

总投资的计价依据种类繁多,一般有设备和工程量的计算依据(如设计方案、设计图资料、工程量计算规则等);人工、材料、施工机械消耗量计算依据(各类指标定额);工料、机械价格依据(市场价格信息);设备价格依据(同类设备价格资料、市场信息、询价资料);各种取费费率、工程建设其他费用计算依据;利润税金计算依据;物价指数及计价指数等。要准确计算项目总投资,必须首先熟悉、掌握和正确使用这些计价依据。

(二)计价模式

建设项目投资的计价模式是与社会经济体制相适应的。随着我国经济体制和工程造价管理体制改革的不断深入,建设项目投资的计价模式也相应发生了根本的变化,经历了三种不同的计价模式。

(1)定额计价模式,也就是"政府定价"的计价模式。这里讲的定额,是指各级政府有关部门定期颁布的工程估算指标、概算指标、预算定额与单位估价表、费用定额、工程量计算规则等一切工程计价的法定依据。它是政府造价主管部门根据社会平均消耗和平均成本制定的"量价合一"的工程造价计算标准,既规定了单位工程量的实物资源消耗数量标准,又规定了单价与各种取费费率和计算办法。定额计价模式实际上是政府定价行为的计价模式。随着工程造价管理体制改革的深入,定额计价模式已被淘汰。目前,除在投资决策阶段编制可行性研究投资估算时还可参考使用外,在概、预算编制及招投标阶段已经不用。

(2)量价分离计价模式,即政府指导价计价模式。这个计价模式是目前在编制概、预算及招标标底时的计价模式。根据单位工程量的人工、材料、施工机械台班量等实物资源消耗量,按政府工程造价主管部门颁布的基础定额规定的消耗量标准计算;而对人工、材料、机械台班的预算价格,按政府造价主管部门定期发布的指导价格(又称中准价、信息价等)计算;对其他直接费、间接费、利润等取费费率,由政府造价主管部门制定指导费率标准,企业可依据自身具体情况确定投资费率进行竞争。

(3)工程量清单计价报价模式。工程造价管理体制改革的最终目标是逐步建立以市场竞争形成价格为主的价格机制,逐步建立起由基础定额作为指导、通过市场竞争形成工程造价的机制。一是由政府建设行政主管部门统一制定符合国家标准、规范,并反映一定时期施工水平的人工、材料、机械等消耗量标准,实现对定额消耗量标准的客观管理;二是制定统一的工程项目划分,工程量计算规则,为逐步实现工程量清单计价报价创造条件;三是建立信息网络系统,加强工程造价信息的收集、处理,及时发布信息;四是在工程招标中要贯彻《招标投标法》第四十一条规定的中标条件,即"能满足招标文件实质性要求,并且经评审的投标价格最低,但是投标价格低于成本的除外"。

以上三种计价模式各有特点,定额计价模式可在项目决策阶段编制投资估算时参考使用;量价分离计价模式可用于概预算编制和审查;工程量清单计价报价模式是通过市场竞争形成价格的模式,是工程招投标中应推广的计价模式。

三、现行建设单位会计制度对投资支出的划分

现行国有建设单位会计制度,对投资支出是以形成资产来划分的。建设项目的投资支出分为在建工程投资和已交付使用资产。

(1)在建工程投资由建筑安装工程投资、设备投资、待摊投资及其他投资组成。

这里的建筑安装工程投资和设备投资,与估、概算总投资构成中的规定是一致的。待摊投资是指应计入交付固定资产的摊销费用,与估、概算中的部分工程建设其他费用和建设期贷款利息(财务费用)相对应。其他投资是指列入估概算工程建设其他费用中的以下内容:新建项目购置的在建设期使用的办公等各类现成房屋购置费;新建单位办公、生活用器具购置及为可行性研究购置的固定资产;经营性建设项目购买专利权、专有技术及以出让方式购置土地使用权支付的出让金等形成的无形资产。

(2)已交付使用资产由固定资产、无形资产、其他资产(原递资产)和流动资产组成。在建设项目竣工交付时,按形成的资产性质,根据会计科目归集后交付。

第二节　建设项目投资控制

一、建设项目投资控制的含义

所谓建设项目投资控制,就是建设项目管理组织(项目团队)建立健全投资管理与控制体系,运用目标管理方法和科学分析预测手段,在项目建设的各个阶段,通过优化建设方案、设计方案、资源规划方案及施工方案,采用一定的方法和措施,随时纠正发生的投资偏差,把建设项目投资的发生控制在批准的投资计划限额(目标)以内,确保项目质量、工期、投资按既定目标实现,使项目取得较好的投资效益和社会效益。

建设项目投资控制是建设项目管理的一项主要内容,是实现项目建设管理目标和影响项目成败的关键,是现代建设项目管理的重要内容之一。

二、建设项目投资控制的目的和意义

(一)建设项目投资控制的目的

建设项目投资控制的目的是保证项目取得投资效益最大化。在建设项目投资控制中必须坚持两个基本原则:一是建设项目投资控制必须建立在保证项目质量、功能、工期的前提下,努力将项目投资控制在批准概算投资限额内,而不能用降低质量标准、功能目标和拖延工期的办法来乱压乱减投资;二是建设项目投资控制不仅要考虑建设成本,而且应考虑建成交付使用后的经常性开支,即应考虑项目全生命周期的总成本费用,不能为了节约建设投资而造成建成后经常性营运费用的增加。

(二)建设项目投资控制的意义

(1)投资控制是关系到投资主体的投资目的能否实现、银行贷款能否按时归还的主要保证。

(2)投资控制是关系到国家投资计划能否顺利完成,预期效益能否实现的保证。

(3)投资控制是市场经济法则的要求。

(4)投资控制是我国建设项目法人责任制的要求。

(5)投资控制是扭转建设项目"决算超预算、预算超概算、概算超估算"的现象,保证项目按预期的质量、功能、工期、投资目标全面实现的关键。

三、建设项目投资控制的条件和依据

(一)建设项目投资控制的条件

进行项目投资的基本条件:一是要求项目范围明确、内容完整、方案先进可靠、经济合理,能保证项目顺利实施;二是合理确定项目投资,按照工程设计编制的投资估算、概算要达到规定深度和精度要求,反映建设项目实际需要。

(二)建设项目投资控制的依据

建设项目投资控制的依据主要有:

(1)批准的可行性研究报告投资估算、初步设计投资概算、施工图预算。

(2)根据初步设计概算、施工图预算、市场经济信息及预测、项目进度计划等资料,编制的项目投资控制预算(计划)。

(3)建设项目各项变动(变更)信息,包括变动请求、变动授权批准情况等。

(4)建设项目投资管理绩效报告,也称项目实施执行情况报告,是指建设项目投资管理与控制的实际绩效评价报告。它反映了项目实际发生投资与建设项目投资控制基准间的偏差,包括偏差分析、预测和纠偏措施等。

(5)建设项目附加计划(追加投资计划)。

四、建设项目投资控制的目标及最高限额

(一)建设项目投资控制的目标

一般建设程序先后形成的投资估算、初步设计概算、修正概算、施工图预算、合同价、结算价、竣工决算,是一个由浅入深、由粗到细、相互补充、前者控制后者、后者补充前者的建设项目总投资控制目标系统。具体来讲,批准的可行性研究报告投资估算,应是设计方案选择和进行初步设计及编制概算的投资控制目标;批准的初步设计概算应是进行技术设计(修正概算)和施工图设计(施工图预算)的投资控制目标;施工图预算是进行工程招标发包、合同结算、竣工决算的投资控制目标。

(二)建设项目投资控制的最高限额

在建设项目投资控制目标系统中,经评审后批准的可行性研究投资估算,是建设项目设计方案选择、进行初步设计的投资控制目标,如果初步设计提出的总概算超过批准可行性研究投资估算 10%以上时,必须重新报批可行性研究报告。也即经批准的初步设计总概算投资是项目投资控制的最高限额。在建设项目实施中,必须将施工图预算、招标标底、合同价、结算价、竣工决算实际投资等,控制在批准的初步设计总概算投资这个投资控制最高限额以内,不得随意突破。

五、建设项目投资控制的模式及重点

(一)建设项目投资控制的模式

建设项目投资控制模式主要有以下几种。

(1)要素控制模式。即将构成项目总投资的设备、建安、其他建设费用,及构成各项费用的"量"、"价"等要素,细化分解,按经济责任制要求,分解到各归口专业职能部门实行专

业控制。由建设项目综合(集成)管理部门拟订各项费用控制目标,经项目经理协调和批准后,下达到各责任部门或责任人,按经济责任制进行管理、考核。对"量"、"价"要素中"量"的控制,关键在于设计,应在设计合同中明确设计单位的责任,规定施工图设计工程实物"量"与初步设计概算工程实物"量"的误差范围及设计单位原因发生的设计变更允许范围,制定"设计精度"考核奖惩标准,超出规定精度范围的扣罚设计费,达到精度要求范围的给予奖励。

(2)主要因素控制模式。这里讲的主要因素是指影响总投资的客观因素,主要有建设项目的气象、水文、地质、地形、交通等建设条件,建设内容范围,建设标准与装备水平等。在前期决策阶段应对相关因素进行充分分析预测,通过多方案比选和论证评估,尽可能保证决策的科学、合理;对建设内容范围及工艺装备水平,应吸收有经验的生产管理人员参加方案研究讨论,避免设计遗漏。主要因素控制法适用于前期决策及初步设计审查阶段的投资控制。

(3)分阶段投资控制模式。即按前期决策、初步设计、技术设计、施工图设计、招标发包、施工阶段、竣工决算等建设阶段,进行分阶段控制。

(4)挣值法的运用。即在项目实施(施工)阶段,通过建立项目变动控制体系,采用项目投资绩效度量和投资偏差分析方法,达到尽快发现项目投资出现的偏差和问题,并在分析项目变动及投资偏差的同时,分析判断和预测项目投资控制的发展趋势,提出控制预案,在情况变坏之前能够及时采取措施。

(二)建设项目投资控制的重点

按建设程序先后形成的投资控制目标体系及影响建设项目投资的各种因素,建设项目投资控制贯穿于项目建设全过程、全方位,要从项目前期工作开始,采取"全过程、全方位"的管理方针。

第三节　投资控制的主要措施

一、投资决策阶段投资控制的主要措施

(一)投资决策阶段投资控制的重点

可行性研究报告既是建设项目投资决策的依据,也是建设项目投资控制的基础。在投资决策阶段,投资控制重点环节是编制、评估、审查可行性研究报告,尤其是对可行性研究报告中与投资密切相关的项目建设范围和内容、建设标准、多方案论证比选、投资估算、财务及经济效益分析与评价等内容,要加强评估、审查,把好投资控制关,为项目全过程投资控制打好基础。

(二)投资决策与建设项目投资的关系

投资决策直接关系到项目建设的成败,关系到项目投资的效益。

(1)正确的投资决策是建设项目投资合理性、可控性的前提。正确的投资决策,意味着对项目建设做出正确、合理、科学的决断,优选最佳投资方案达到资源的合理配置。这样才能合理估算投资,有效地控制投资。

(2)决策阶段的投资控制是建设项目投资方案选择的重要依据之一,也是决定项目是否可行及项目审批的依据之一。项目投资估算的精确度将影响项目的决策,也将影响投资控制的效果。

(三)投资决策阶段投资控制的任务和措施

投资决策阶段的投资控制应以编制、审查可行性研究报告和项目评估为重点。

1.可行性研究报告的编制、审查和项目评估

(1)选好可行性研究咨询设计单位。应根据拟建项目特点,采取方案竞赛或设计招标方式,选择与项目专业特点相适应的,有资质、有经验、有实绩的咨询设计单位承担可行性研究工作。

(2)组织专家及相关人员对可行性研究报告进行预审,广泛听取意见,并根据预审意见优化方案,完善可行性研究报告。

(3)委托第三方或组织专家,根据国家颁布的法规、政策、方法、参数等,对拟建项目建设的必要性、建设条件、生产条件、工程技术、经济社会效益等进行全面评价和分析认证,审查项目可行性研究报告的可靠性、真实性和客观性。

(4)围绕影响项目投资及效益的主要因素,进行多方案技术经济比较,务必使建设项目在技术上的先进性和适用性、实施上的可行性和可能性得到充分体现。

2.可行性研究报告审查及项目评估的内容

在可行性研究报告审查及项目评估中,投资控制部门及专业人员应重点抓好以下内容的审查、评估:

(1)推荐选址方案应是经济合理的最佳方案。在选址方案技术经济比较分析中,应充分考虑当地水文、地质、地形、地貌、气象、交通、配套、社会环境对投资的影响,以及投产后原料和燃料、成品运输等生产经营费用的比较,数据必须准确。

(2)生产、社会及辅助配套方案应落实可靠、无漏项、能同步建成,充分考虑社会协作和资源优化配置。

(3)项目采用的工艺、技术、设备符合国家技术政策,符合先进、适用、可靠的原则。工艺、技术、设备水平应与投资方财力、项目特点、在同行业中的地位、产品性能、品种、规格、质量要求等相适应、匹配;采用的科研成果应经过充分的试验和技术鉴定,引进的技术设备应是先进、适用和成熟、可靠的,引进技术、设备应符合国家有关规定,防止盲目引进。引进软件要进行必要性分析,引进的专利及关键技术要经过查询。

(4)建筑工程标准符合国家规定,与项目目标要求、性质、地位相适应,符合国家有关安全、抗震等强制性规范要求;应考虑工程地质、水文、气象等自然条件对工程的影响和采取的治理措施;建筑工程方案及平面布置应有多方案比较,所取数据应符合实际,推荐方案应经济合理。

(5)投资估算采用的依据、方法、标准、数据正确,符合国家或地区的有关规定;考虑汇率、利息、税金、物价等因素;项目内容(工程内容)和费用与可行性研究报告的内容一致;既要防止缺项、漏项和有意压低造价,又要防止高估冒算,任意提高标准、扩大建设规模。项目前期已发生的费用(如咨询、评价、征地动迁等)也应列入估算。

(6)资金筹措及建设期贷款利息。可行性研究报告的资金筹措方案与实际筹资方案

是否一致,取定利率是否与实际协议融资成本一致,资金流量计划与利息计算是否准确合理。

(7)经济效益、社会效益评估。

(8)其他与项目投资效益有关的如建设进度等因素审查。

(四)建设项目法人成立时间应与建设全过程投资控制要求一致

按照"谁投资、谁决策、谁受益、谁承担风险"的原则,建设项目法人应对项目的策划、资金筹措、建设实施、生产运营实行全过程负责。按照建设全过程投资控制的要求,建设项目法人及其聘任的项目经理、项目管理班子应尽早参与相关工作。为此,在编报项目策划时,就应考虑项目法人的组建方案和项目经理、项目管理班子人选,参与前期工作,重点抓好可行性研究报告的编制、审查和项目评估、报批工作,落实建设项目投资控制组织措施。

二、工程设计阶段投资控制的主要措施

(一)工程设计与投资控制的关系

工程设计是分阶段进行的。一般工业与民用建设项目的设计,按初步设计和施工图设计两个阶段进行,称之为"两阶段设计"。某些技术复杂而缺乏设计经验的项目,工程设计可按初步设计、技术设计、施工图设计三个阶段进行,称为"三阶段设计"。设计阶段形成各种设计技术文件、设计图资料及相应的初步设计总概算、修正总概算、施工图预算等。经批准的初步设计总概算投资是项目投资控制的最高限额,施工图预算是工程招标发包、合同结算、竣工决算的投资控制目标。设计阶段是决定投资限额目标的关键阶段。

工程设计是根据建设项目投资者意图和要求,对建设项目做出的全面、具体的实施方案,是建设项目实施的依据。工程设计一旦确定,构成建设项目投资的关键要素——资源消耗(品种、规格、数量、质量等)也就同时确定。工程建设规模、建设标准、工艺装备水平必须与投资者的财务相适应。一个优秀的设计,不仅使建设项目投资得到合理使用和有效控制,而且对质量、工期及项目建成后的运营效益都将起到决定性的作用。

(二)设计阶段投资控制的主要措施

1.组织措施

在建设项目管理组织机构内,明确投资管理、设计管理、技术管理、设备管理等各专业管理部门或专业管理专职人员在设计阶段投资控制中的职责、任务和相互协调配合关系,落实从投资控制方面进行设计协调、管理和跟踪的专业人员,编制本阶段投资控制的详细工作流程,包括在设计招标、设计合同签订、设计审查、概预算审查、设计方案优化比选等方面的工作流程及各自的岗位职责分工和协调配合关系。

在加强内部组织机构建设的同时,必要时可建立一个外部技术支持、协作组织,如聘请社会专业人才组成专家顾问组为项目设计方案优化把关,或委托、聘用工程咨询公司(技术咨询、投资咨询)、建设监理公司等社会中介机构,从设计阶段开始参与设计方案技术经济比较分析、优化等。

2.技术(管理)准备

根据批准的可行性研究报告做好技术(管理)准备工作。

(1)以建设项目目标为主导、以项目技术系统为依据,进行工作分解,按照内在结构、内在联系,由上而下、由粗而细逐层分解,形成项目分解结构图,编制成工程项目清单,并统一编制项目编号(编码),发给设计单位及各职能部门。

(2)根据项目特点、市场定位及财力等具体情况,制定项目设计基本原则,明确建设标准、工艺技术水平等设计要求。对技术复杂、多家设计单位设计的大型重点项目,还应制定"工程设计统一技术规定"发各设计单位执行。

(3)编制项目建设总体规划,包括建设总进度安排、总平面及建设规划、设计进度及建设资金、建设准备、设备材料安排、建设成本降低措施等。这是建设项目实施中的总领,也是编制初步设计及总概算的依据之一。

(4)对大型建设项目及设计招标项目,应统一概算编制办法,提出统一的定额消耗依据和市场价格依据。对概算编制深度要有明确规定,其概算编制深度满足施工招标及设备招标的要求。

(5)根据批准的投资估算书和工程项目清单(编号),将估算投资细化分解到各子项,推行限额设计、进行设计跟踪管理,为概算值与计划控制值对比分析打下基础,便于在设计概预算审查中发现偏离和分析纠偏工作。

(6)拟订设计招标、评标方案,工程设计合同文本。

(7)初步设计概算审查批准后,应以批准概算投资为限额,细化分解后制定各项目专业、各部门的投资控制目标,编制项目投资控制计划,经批准后下达各部门执行,并与经济责任制考核奖惩挂钩。

3.经济措施

(1)根据项目管理组织机构内各专业管理部门或专业管理人员在投资控制中的职责,制定内部岗位经济责任制及考核奖惩办法,与投资控制业绩挂钩。

(2)研究制定工程设计单位的技术经济责任制。根据现行设计收费制度的有关规定制定工程设计单位的技术经济责任制和奖惩办法,调动设计单位优化设计积极性。

(3)制定依靠科技,推广应用新技术、新工艺、新结构节约投资的奖励办法。

4.技术措施

(1)推行设计方案竞赛和设计招标,优选设计方案和优秀设计单位。

(2)推行限额设计,按批准可行性研究报告及投资估算控制初步设计。对某些项目功能、降低建成后运营维护费用,但要少量突破限额的设计,应通过技术经济分析和功能成本评估后做专项处理。

(3)强调每项设计都要做多方案比较,合理确定设计方案;通过调查研究、分析试验,寻找设计挖潜、节约投资的因素,寻找进一步节约投资的途径。在多方案比较中,利用价值工程原理进行功能成本分析,力求以最低建设成本实现预定的目标功能,提高设计项目的价值,即功能投资比。

(4)严格审查初步设计及总概算。可采用内部预审、委托咨询单位审查、专业审查及综合审查等办法进行。审查的重点是:①设计所用的技术标准、规范、规程、规定等是否符合现行规定,与批准可行性研究报告和项目业主委托的设计原则等是否一致;②初步设计及概算编制的项目范围、具体内容与批准可行性研究报告是否一致,有无漏项、漏算,严格控制项目范围和内容,严禁擅自增列项目、扩大规模;③初步设计及概算的投资规模、设计标准、建筑面积、主要设备、配套工程等是否符合批准的可行性研究报告及项目业主设计原则规定,如有超标准、超估算等情况应列出可行性研究报告与初步设计分析对比表,并阐述理由,如经审查认为必须提高时,必须报原可行性研究报告批准单位批准后方可执行;④所选用的设备规格、数量是否与生产规模一致,引进设备是否配套、合理,国内外设备的配套接口是否完善;⑤初步设计概算编制依据是否符合规定,概算项目内容与设计是否一致,是否完整反映设计,概算编制用价格水平与市场价格是否吻合,概算编制深度是否达到要求,是否有符合规定的总概算表、单项工程综合概算、单位工程概算表,初步设计概算编制是否考虑了现场水文、地质、地形、气象等施工条件,各项技术经济指标和其他建设费用指标与同类工程比较是否合理,是否符合规定,概算费用项目是否完整,有无多列或漏项等。

(5)加强施工图设计审查,严格控制设计变更:①委托具备相应资质的单位进行施工图设计审查,严格控制设计变更;②组织设计、施工、监理单位进行施工图会审,重点审查设备、自动化仪表电器控制设备等接口是否完整和合理衔接,土建施工图与其他专业设计施工图中有无矛盾,施工图设计是否有提高或降低标准之处等;③明确设计变更申请、审批管理流程及职责,严格控制设计变更,严禁将批准初步设计范围以外的增加内容列入施工图设计,确有必要,必须专项申请,经原审批单位批准后方可执行。

三、招标发包阶段投资控制的主要措施

招标发包阶段是保证工程合同价格控制在初步设计概算内的关键阶段,是设计完成后建设项目投资控制的重要阶段。招标发包阶段投资控制的主要措施有以下几种。

(一)组织措施

建立健全项目招标发包组织管理体系,制定招标发包工作控制程序。根据设计概算、预算,细化分解投资控制目标,明确投资控制的实施责任部门,制定本阶段投资控制计划及岗位责任制,并负责招标发包工作全过程的跟踪管理和组织协调工作,使招标发包工作严格按照制定的工作控制程序进行。

(二)经济措施

(1)根据招标发包工作控制程序、控制目标及岗位责任要求,制定技术经济责任考核奖惩制度。

(2)采用有标底招标的,严格审核标底,并进行标底、中标单位报价与投资控制目标值(或概算)的对比分析。标底及中标造价必须控制在概算限额内,并留出一定的调节余量和节约目标值。一般要考虑留出设备运杂管理费、工程量增加、索赔等合同结算增加费用。

(三)技术措施

(1)建设项目,尤其是引进技术设备的建设项目,应做好设备采购招标前的技术交流、工艺设备考察工作,为编制好设备采购招标技术标书中的设备技术规格书创造条件。也可采取技术、商务两阶段招标的办法来解决技术规格书编制问题。

(2)审查招投标文件中所采用的技术标准、规范、规定是否符合现行法规和批准初步

设计文件规定;审查技术标书中施工组织设计、重大施工方案是否满足质量、工期、安全要求,技术措施费用报价是否合理,方案是否经济合理。

(3)审查设备采购招标合同的主要条款中,质量保证、功能考核及相关的索赔条款是否完整,能否达到设计功能目标要求。

(四)合同措施

(1)事先拟定严格的施工合同、设备供需合同标准文本格式。可参照示范合同文本,结合项目特点,重点拟定专用条款。

(2)在施工招标文件及合同条款中,对合同计价方法,合同价的调整范围、依据、方法,合同价款支付、结算时间和方式,索赔事项等主要条款,文字表达必须清晰、准确、严谨和前后一致,不能留有相互矛盾或含糊不清的语句。

(3)在设备采购招标文件和合同文本中,对设备交货进度、质量、功能考核及相应索赔条款要清晰、准确、严谨,合同付款方式、依据、时间要严格规定。

(4)国内设备运杂管理费和引进设备国内接运、管理、开箱检验等费用,可采取主管部门或承包单位费用包干的办法进行控制,订立费用包干合同,明确技术经济责任和奖惩制度。

四、建设项目实施阶段投资控制的主要措施

建设项目实施阶段,即工程施工阶段,是指建设项目完成招标发包、签订施工合同、设备材料供需合同或总承包合同以后,到承包商或供应商按合同约定的时间、质量、价格等规定,完成全部合同任务,经考核、验收合格后进行合同结算为止的合同执行全过程。在项目实施阶段,由于设计变更、工程量增减、索赔、违约责任等因素而导致合同价款的调整,突破投资控制目标的可能性仍然存在。加强实施阶段的投资控制,保证项目投资控制目标最终实现的重点,一是加强合同管理,行使合同规定权利,履行义务,处理违约责任及索赔事项;二是严格控制设计变更,严禁计划外增加项目或擅自提高标准,严格按项目变更控制程序及合同价款调整规定,控制项目变更投资。项目实施阶段投资控制的主要措施有以下几种:

(1)在项目业主管理组织内部落实人员并明确合同管理及投资控制任务分工和职责;按现行规定应委托工程监理单位承担投资控制职能,落实监理单位投资控制的人员、任务及职责。

(2)根据建设项目投资控制总目标、施工进度计划、概预算书及招投标文件、承发包合同等资料,分解投资控制目标,编制本阶段投资控制计划及资金使用计划,建立项目变动控制系统,明确工作流程。

(3)加强合同管理,按合同约定履行义务、承担责任,依法维护自己的合法权益。严格以合同及招投标文件规定的相关条款为依据,办理合同计价方式、合同价格调整、价款支付及结算办法、索赔及违约责任处理等相关事项。

(4)建立项目变动控制体系,严格控制设计变更。项目变动控制体系,是包括项目范围、质量、工期、投资、风险、合同等专项变动控制在内的项目变动总体控制系统,明确各项变动的请求及审批程序、审批权限、跟踪监督、变动文档管理等组成的控制程序、方法和

责任。

在项目范围变动控制中,要严格控制设计变更。包括设计单位的设计变更及项目业主、监理、承包商提出的设计变更,都应按照设计变更控制程序从严控制。要严禁通过设计变更扩大建设规模、增加建设内容、提高建设标准而增加投资。因市场变化、设计漏项而必须增加建设内容、扩大规模、追加投资的,必须报原审批部门经批准后方可实施。对设计单位责任的设计变更增加投资应在设计合同中明确设计精度考核要求予以控制。

(5)建立已完工程"计量付款"确认签证制度和按吨价结算的非标准设备结算重量审核确认制度。未经监理工程师按施工图核实已完工程量(即计量)并签证确认的施工合同工程进度款不得付款;未经设备审查人员按设备制造图审核确认结算重量的按吨价结算的非标设备合同到货款不得支付。

(6)加强索赔管理。项目管理人员及监理工程师应建立工程日志、会议纪要、来往函件、现场签证确认资料的整理归档工作制度,为正确处理索赔提供依据。严格按合同规定、索赔程序、索赔时限、索赔证据处理索赔事项。尤其要强调索赔依据的即时性、时效性,杜绝在竣工结算时补办签证确认手续的现象,要明确规定在竣工结算时补办的签证确认手续无效。

(7)严格控制设备现场修配改费用。对设备在安装调试中发生的修、配、改,应及时组织设计、设备制造、设备安装、使用单位等有关专家,在现场共同分析,明确责任单位,研究修、配、改措施方案。

(8)合同结算时,应同时办理质量保证金手续,采取扣留合同保留金(或称修金、尾留款)或按合同规定提交银行保函等方式,待保修期满后结清。

(9)在项目实施中,要进一步寻找节约投资的可能性。可制定设计、施工、监理等单位合理化建议节约投资分成奖励办法,调动全体建设者节约投资的积极性。

(10)加强投资动态跟踪管理,定期进行实际发生投资与计划控制目标投资的比较,发现偏差,提出纠偏措施。定期做好投资分析、预测工作,提交分析报告。

五、工程建设其他费用及竣工后费用的控制

(一)工程建设其他费用的控制

工程建设其他费用,包括土地使用费、与工程建设有关的其他费用及与未来项目生产运营有关的其他费用三类。大部分是待摊性质的费用开支,往往从建设前期咨询决策阶段就开始发生,直至办理竣工验收和固定资产移交才结束,一般采取由归口管理部门包干控制的办法。工程建设其他费用控制的主要措施:

(1)细化分解其他费用概算指标,制定各项费用的控制目标值,下达到各归口部门控制。

(2)制定经济责任制,明确奖罚考核办法。

(3)各归口管理部门根据下达的控制目标,编制费用使用计划及节约控制措施。财务部门按批准的费用计划(预算)严格控制费用支付。

重点考虑以下节约措施:①优化建设项目总平面布置,节约建设用地(包括建设期临时用地),控制土地使用费。占地量较大的项目,应根据建设进度,尽可能分期分批征用,

以节约资金；②以自然标高低于室外设计标高而需大量回填土进行场地平整的项目，应事先估算基础的挖、填土量，根据土方平衡情况，尽可能合理降低场平标高，以节约土方挖填及余土外运费用，从而控制场平费用开支；③尽量减少临时设施建设。应根据建设规划，尽可能提前建设部分永久性道路、管线及仓库、办公生活辅助设施，在建设期先作临时使用，在建设项目竣工前修整后交付使用，以节约费用支出；④严格控制建设管理人员及生产人员的定员人数、费用标准，出国及外地培训人数、时间，以达到控制建设单位管理费、生产人员提前进厂费及培训费、办公生产家具费的目的；⑤严格计量、区分单机试运行和联合试运行的能源介质消耗，单机试运行能源介质消耗费用应由设备安装单位在合同安装费内承担，不得列入联运试车费开支；⑥应制定建设期增收节支计划，纳入基建收入。

（4）定期进行工程建设其他费用实际发生值与计划控制目标值比较，分析预测工程建设其他费用控制情况。

（二）竣工后费用的投资控制措施

1.工程竣工结算审查

工程竣工结算审查也称工程竣工结算审价，通常委托有资格的工程造价咨询单位进行，出具由注册造价工程师签署的工程竣工结算审价报告。它是建设项目竣工验收、编制竣工决算、核定和办理资产移交的依据。工程竣工结算审价的依据是施工合同、招投标文件、建筑工程施工发包与承包计价管理办法、竣工图、设计变更通知单、现场签证、隐蔽工程验收记录及签证书等。项目业主及项目管理机构，必须重视竣工结算的审价把关工作。

（1）核对合同及招投标文件条款。包括工程竣工结算内容、结算方法、计价方法、合同价格调整、索赔处理等是否与合同及招投标文件规定一致。工程内容是否全部验收合格。

（2）检查隐蔽工程验收记录、签证是否完整，是否符合规定。

（3）检查设计变更、现场签证是否符合项目变动控制程序规定，手续是否完整，时限是否符合规定。特别要注意是否有竣工后、结算前补办的签证手续，并应对其合法性进行检查分析后处理。

（4）结算工程实物量是决定工程结算价的关键，必须严格按照国家统一的工程量计算规则，依据竣工图、设计变更单、现场身份证等逐项核算，严格控制计算误差。

（5）在施工招标及施工合同中，目前采用固定合同单价的合同价计价方式较为普遍。对合同单价不变、合同总价按实际完成工程结算的合同，工程竣工结算审价的重点是竣工图实物工程量、设计变更修改增减、现场签证和甲方供应材料价差的增减、索赔事项处理等的审查核定，并按招投标文件及施工合同中均已明确的固定合同单价结算。

（6）审价报告必须由注册造价工程师签署。

2.竣工决算审计

建设项目竣工决算应包括从筹建到竣工投产全过程的全部实际投资，即包括建筑安装工程费、设备及工器具购置费、工程建设其他费、预备费、建设期贷款利息、铺底流动资金等构成投资的全部费用支出。项目业主及项目管理机构在建设项目竣工后，应依据批准的设计文件及投资概算、设计交底及设计图会审纪要、招标标底、承包合同、设计变更及现场签证、索赔记录、工程结算审价报告、竣工验收资料及证书、历年财务决算及批复等有关资料，按照国家规定的竣工决算内容和表式，编制建设项目竣工决算，经内部审查核准后,报项目批准单位审核。项目批准单位一般委托有资质的审计单位进行竣工决算审计,出具项目竣工决算审计报告,据此进行竣工财务决算。在竣工决算审查及审计中,重点审查有关方针、政策、财务制度的执行情况;审查设计变更有无设计部门的通知和是否经有关部门批准;审查有无计划外扩大规模、提高标准;审查工程增减有无签证确认手续和依据;审查建设剩余物资、建设结余资金是否真实等。

3. 保修费用的处理

保修费用是指对建设工程在保修期限和保修范围内所发生的维修、返工等各项费用支出。保修费用应按合同约定和有关规定合理确定和控制。保修费用的计算一般参照建筑安装工程造价的计算规则和方法。对保修费用的处理和控制,重点应贯彻以下原则:

(1)建设工程质量保修制度、最低保修期限、保修义务和赔偿责任,应严格按2000年1月30日国务院令第279号公布的《建设工程质量管理条例》有关规定执行。

(2)建设工程出现的质量缺陷、隐患等问题往往是由多方面原因造成的。因此,在保修费用处理上,应分清造成问题的原因以及具体返修内容,按照《建设工程质量管理条例》的规定和合同约定与有关单位共同协商确认。一般有以下几种:①对勘察、设计方面的原因造成的质量缺陷,由勘察、设计单位负责并承担经济责任,委托施工单位负责维修或处理,勘察、设计单位应继续完善勘察、设计,减收或免收勘察、设计费并赔偿损失;②对施工单位未按国家有关规范、标准和设计要求施工,造成质量缺陷,由施工单位负责无偿返修,并承担经济责任,由施工单位采购的设备、材料、构配件质量引起的质量缺陷,也应由施工单位承担经济责任;③因建设项目业主招标采购的设备、材料质量原因造成的问题,应按设备供需合同规定条款处理,向设备供应商索赔;④因用户使用不当或用户使用后有新的要求而进行的返修或局部处理,由用户自行负责;⑤因地震、洪水、台风等不可抗力造成的返修问题,由建设项目业主负责处理,一般列入非常损失,报有关部门批准后由项目投资支付。

(3)保修期满后,应按照上述保修处理原则,及时与各合同单位办理保修费结算,结清质量保证金。

第九章 建设项目工程监理

第一节 概 述

一、建设项目工程监理的含义和内容

建设项目工程监理,是指具有相应资质的监理单位,受建设项目业主的委托,依据国家有关法律、法规及有关的技术标准、设计文件和建筑工程承包合同、工程监理委托合同与其他建设工程合同,对工程实施的专业化监督管理。

一般来说,建设项目工程监理的内容,可以包括从工程勘察设计、施工、设备采购及安装调试、竣工验收直至保修期,对项目建设全过程进行监督和管理,对建设工程的各个阶段进行质量、投资、工期控制和合同、信息管理,并协调参与项目建设有关单位之间的关系。鉴于目前我国未开展项目决策阶段的监理,对勘察设计阶段的监理工作也未形成系统成功的经验,所以国家发布的建设工程监理规范只涉及施工阶段的监理。

水文水资源设施建设监理是指监理单位受项目法人委托,依据国家有关工程建设的法律、法规和批准的项目建设文件、工程建设合同以及工程建设监理合同,对水文水资源设施建设实行的监督管理。其主要内容是对水文水资源设施建设工程进行工程建设合同管理,按照合同控制工程建设的投资、工期和质量,并协调有关各方的工作关系。

二、建设项目工程监理的特点

(一)服务性

建设项目工程监理是一种有偿技术服务活动,监理人员利用自己的知识、技能和经验为建设项目业主提供服务。工程监理服务的内容和范围是由建设项目业主和监理单位共同商定的。

(二)独立性

从事建设工程监理活动的监理单位是直接参加工程项目建设的当事人之一。监理单位应按照独立自主的原则开展监理活动,即在工程监理过程中,监理单位要建立自己的监理组织和质量保证体系;确定自己的工作准则,运用自己的理论、方法、手段,根据监理合同独立地开展工作。

(三)公正性

监理单位不仅是为建设项目业主提供技术服务的一方,而且还应成为建设项目业主与承包商之间公正的第三方。监理单位应当根据建设项目业主的委托,客观、公正地执行监理任务。维护建设项目业主和被监理单位的合法权益。这是工程监理必须遵守的职业道德准则。

(四)科学性

建设工程监理的任务,要求监理单位拥有业务素质合格、数量足够、配套齐全的监理人员;要有一套科学的管理制度;掌握先进的监理理论、方法;积累丰富的技术经济资料、数据和经验,拥有现代化的科学监理手段。

三、我国有关建设项目工程监理的法律和法规

(1)《中华人民共和国建筑法》明确规定了建设工程监理制在我国的法律地位,对监理的范围、依据、方法和行为规范都做出了明确的规定。

(2)国家标准(GB50319—2000)《建设工程监理规范》,从 2001 年 5 月 1 日起施行。

(3)《建设工程质量管理条例》,2001 年 1 月 30 日国务院第 279 号令发布。

(4)国务院办公厅《关于加强基础设施工程质量管理的通知》提出建立工程质量终身负责制。

(5)《工程监理企业资质管理规定》,2001 年 8 月 29 日建设部 102 号令发布。

(6)《监理工程师资格考试和注册试行办法》,1992 年 6 月 4 日建设部 18 号令发布。

(7)《关于发布工程建设监理费有关规定的通知》,国家物价局和建设部([1992]价费字 479 号文)。

(8)《水利工程建设监理规定》,1996 年 8 月 23 日水利部颁布实施。

四、工程监理的建设工程范围

《水利工程建设监理规定》规定了必须实施工程监理的建设工程范围。

在我国境内的大中型水利工程建设项目,必须实施建设监理,小型水利工程建设项目也应逐步实施建设监理。其主要包括防洪排涝工程、灌溉排水工程、水利发电工程、乡镇供水工程、给排水工程、水土保持工程、环境水利工程、水利系统的地方电力工程及其配套和附属工程,以及外资、中外合资兴建的水利工程。

中外合资兴建的水利工程项目,应当委托中国水利工程建设监理单位进行监理。

国外贷款和赠款的水利工程项目建设,应由中国水利工程建设监理单位负责建设监理。

五、监理单位与建设项目业主、施工单位的关系

(一)建设项目业主与监理单位之间的关系是平等主体之间的关系

建设项目业主委托监理单位监理服务的内容和授予的权利是通过双方平等协商,并以监理委托合同的形式予以确立的,是委托与被委托、授权与被授权的关系。

应当指出的是,虽然国家推行的监理制度对监理内容、范围有明确规定,但是,不同的建设项目业主向监理单位委托的内容和授权是有差异的。

(二)监理单位与施工单位是两个平等独立的企业

监理单位与施工单位之间没有合同或协议关系,但在项目建设过程中是监理与被监理的关系,因为监理单位受建设项目业主的委托和授权,同时国家有关建设监理的法律、法规也赋予监理单位实施监理的职责。监理单位在行使监理职责时,不能超越监理委托

合同、施工合同所确定的权限,也不能超越国家的有关法律、法规和规范而行使权利。

总之,监理单位应公正、独立、自主地开展监理工作。在直接对建设项目业主负责的同时,维护建设项目业主和施工单位双方的合法权益。

第二节 监理模式和监理单位

一、水利工程监理单位资质

根据《水利工程建设监理单位管理办法》,监理单位的资格等级分为甲级、乙级和丙级。各级监理单位的资格标准分述如下。

(一)甲级监理单位资格标准

(1)监理单位有健全的组织机构、完善的组织章程和管理制度。监理单位的法人代表和技术负责人具有高级专业技术职称、取得水利工程建设监理工程师资格并经注册上岗。

(2)技术力量雄厚。取得水利工程建设监理工程师资格证书并获准在监理单位注册的工程技术、经济和管理人员不少于 50 人,且专业配套。具有高级专业技术职称人员不少于 10 人,其中高级经济师(或从事工程经济且具有高级职称)应不少于 3 人。

(3)具有 4 年以上工程建设监理经历,承担过一个以上大型或两个以上中型水利工程项目的建设监理工作。

(4)能运用现代工程技术和科学管理方法完成工程监理任务。具有计算机应用能力,能系统应用计算机技术开展监理业务。有固定的工作场所和先进齐全的技术装备(如检测、测量设备等)。

(5)注册资金不少于 100 万元。

(二)乙级监理单位资格标准

(1)监理单位有健全的组织机构、完善的组织章程和管理制度。监理单位的法人代表和技术负责人具有高级专业技术职称、取得水利工程建设监理工程师资格并经注册上岗。

(2)技术力量较强。取得水利工程建设监理工程师资格证书并获准在监理单位注册的工程技术、经济和管理人员不少于 30 人,且专业配套。具有高级专业技术职称人员不少于 6 人,其中高级经济师(或从事工程经济且具有高级职称)应不少于 2 人。

(3)具有两年以上工程建设监理经历,承担过两个以上中型水利工程项目的建设监理工作。

(4)能运用先进技术和科学管理方法完成工程监理任务。具有计算机应用能力,能较好地应用计算机开展监理业务。有固定的工作场所,配备较齐全的技术装备(如检测、测量设备等)。

(5)注册资金不少于 60 万元。

(三)丙级监理单位资格标准

(1)监理单位有健全的组织机构、完善的组织章程和管理制度。监理单位的法人代表和技术负责人具有高级专业技术职称、取得水利工程建设监理工程师资格并经注册上岗。

(2)有一定的技术力量。取得水利工程建设监理工程师资格证书并获准在监理单位注册的工程技术、经济和管理人员不少于 10 人。具有高级专业技术职称人员不少于 3 人,其中高级经济师(或从事工程经济且具有高级职称)应不少于 1 人。

(3)承担过一个以上中型或两个以上小型水利工程项目的建设监理工作。

(4)能运用先进的技术和科学管理方法完成工程监理任务。能应用计算机辅助完成工程监理业务。有固定的工作场所和一定的技术装备。

(5)注册资金不少于 30 万元。

二、水利工程监理单位的业务范围

甲级单位可以承担各类水利工程建设监理业务。

乙级单位可以承担大二型及其以下各类水利工程建设监理业务。

丙级单位可以承担中小型水利工程建设监理业务。

三、建设工程监理模式的选择

建设项目业主应根据建设项目的特点和具体情况,选择工程监理模式。

(一)委托一家监理单位的监理模式

这种模式的主要特点是建设项目业主委托有同类建设工程监理经验的监理单位,对工程项目实施全过程、全方位的建设监理。监理工作包括质量控制、进度控制、投资控制、合同管理、信息管理和组织协调六个方面的工作。

(二)多家监理单位联合监理

对于一些特大型项目,一家监理单位不能单独胜任监理任务,需由多家监理单位联合监理。对于一些专业特点强、技术复杂的建设项目,有时也可以按专业特点委托几个监理单位联合监理。

采用多家监理单位联合监理模式时,可选择一家作为总监理单位,对各监理单位进行管理和协调。

(三)建设项目业主与监理单位合作监理

这种情况多发生在监理单位的专业技术力量难以胜任部分专业性特点强的建设工程,或者建设项目业主自己的技术力量较强,也可以派人参加监理工作。

四、监理单位的选择

根据《招标投标法》等相关法律、法规,一般应通过公开招标,按照公开、公平、科学、择优的原则,选择建设工程监理单位。建设项目业主在建设工程监理公开招标前,应根据建设项目的具体情况,选择工程监理模式;明确建设工程监理的范围、任务和责任,以及对建设工程监理单位的授权;提出对建设工程监理单位资格预审的条件;建设工程监理费用的取费标准、计算方法及支付条件;根据建设工程监理委托合同示范文本,起草适用于本项目的建设工程监理委托合同文件;确定建设工程监理评标方法和标准。建设项目业主在选择建设工程监理单位时,应该掌握以下 10 项原则:

(1)监理单位应具有与建设工程项目相应的资质等级,有营业执照、专业许可证。

(2)监理单位必须具有类似工程的监理经验和业绩。

（3）监理单位必须具有良好的社会信誉，无不良诉讼记录。

（4）监理单位的经营状况和财务状况良好。

（5）监理单位派驻现场的总监理工程师（或总监理工程师代表）必须具有相应的资质，并有资质证明文件、个人的工程监理业绩证明文件和良好的组织协调能力。

（6）派驻现场的监理人员，包括专业监理工程师、监理员，必须专业配套齐全，能够满足本项目工程监理工作的需要；派驻现场的人员组成结构、知识结构合理，并具有良好的职业道德。

（7）监理单位的工程监理大纲，符合建设项目业主招标文件中提出的对建设项目工程监理的范围、任务和责任等基本要求。

（8）监理单位应有完善的质量管理机构和质量保证体系，优先选择取得 ISO 9000 认证的单位。

（9）监理单位应配备必要的工程测量和检测工具、设备，在信息处理和信息管理方面必须实现电子化（计算机化）、网络化。

（10）工程监理酬金合理，特别应注意拒绝明显低于成本报价的投标人。

五、建设工程监理委托合同

建设项目业主选定监理单位以后，应该在充分协商的基础上与其签订建设工程监理委托合同。该合同应详细规定工程监理范围、工程监理服务内容，并明确规定建设项目业主和监理单位义务、权利和责任。对合同的生效、变更、终止和争议的解决做出相应的规定。同时对监理酬金的数额、支付时间、支付方式做出明确约定。

六、建设工程监理费

（一）工程监理费的构成

工程监理费是指监理单位工程建设监理活动中所需要的全部成本（包括直接成本和间接成本），再加上应缴纳的税金和合理利润。

（1）直接成本。直接成本是指监理单位在完成某项具体监理业务中所发生的成本。

（2）间接成本。间接成本亦称日常管理费，包括全部业务经营开支和非工程项目监理的特定开支。

（3）税金。税金是指按照国家规定，监理单位应该缴纳的各种税金总额，如营业税、所得税等。

（4）利润。利润是指监理单位的监理活动收入扣除直接成本、间接成本和各种税金之后的余额。

（二）监理费的计算方法

监理费的计算方法主要有以下四种：

（1）按所监理工程概、预算的百分比计算。

（2）按照参与监理工作的年度平均人数计算。

（3）不宜按照上述办法计算的，由建设项目业主和监理单位商定其他方法计算。

（4）中外合资、合作和外商独资的建设工程，监理费由双方参照国际标准协商确定。

第三节 监理大纲、监理规划、监理工作程序和实施细则

一、监理大纲

监理大纲又称监理方案。它是监理单位为承接工程监理业务,根据建设项目业主的工程监理招标文件的要求制订的监理方案。它的作用有两个:一是建设项目业主在工程监理招标阶段,对监理单位提供的监理方案要进行认真审查,监理单位只有在监理方案同建设项目业主工程监理招标文件提出的目标、任务和要求相一致,并得到建设项目业主的认可时,才具备中标资格;二是工程监理单位中标并取得工程监理业务后,作为编制工程监理规划的依据。

通常,监理大纲应该包括以下内容:①工程项目概况;②工程项目监理工作范围和目标;③工程项目监理机构;④质量控制的主要内容;⑤进度控制的主要内容;⑥投资控制的主要内容;⑦合同管理的主要内容;⑧信息管理的主要内容;⑨组织协调的主要内容;⑩其他技术服务;⑪监理报告目录。

二、工程监理规划

工程监理规划是指导监理组织全面开展监理工作的纲领性文件,由总监理工程师主持编制。监理规划应针对项目的实际情况,明确监理工作目标、工作制度、工作程序、监理方法和措施,并具有可操作性。工程监理规划编制完成后,必须由监理单位技术负责人审核批准,工程监理规划在第一次工地会议前报送项目业主。如在监理实践过程中,实际情况或条件发生变化,可以修改,并按原报审程序经过批准后报建设项目业主。

监理规划应该包括以下内容:①工程项目概况;②监理工作范围和工作内容;③监理工作目标;④监理工作依据;⑤监理机构的组织形式;⑥监理机构的人员配备和岗位职责;⑦监理工作程序;⑧监理工作方法及措施;⑨监理工作制度;⑩监理设施。

三、监理工作程序和实施细则

(一)监理工作程序

项目监理工作程序一般包括:

(1)编制工程建设监理规划。

(2)按工程建设进度,分专业编制工程建设监理细则。

(3)按照监理实施细则实施建设监理。

(4)建设监理业务完成后,向项目法人提交工程建设监理工作总结报告和档案材料。

(二)监理工作实施细则

对中型以上或专业性较强的重要项目,监理机构应该由专业监理工程师依据监理规划、设计文件和相关标准、施工组织设计等编制监理工作实施细则,并经总监理工程师批准。

监理工作实施细则应该包括以下内容:

(1)专业工程的特点；

(2)监理工作的流程；

(3)监理工作的控制要点及目标；

(4)监理工作方法及措施。

第四节　项目建设各阶段监理工作

一、工程勘察阶段的监理工作

工程勘察是专业性很强的工作,委托监理单位对工程勘察工作进行管理,对勘察任务书、勘察纲要、勘察过程及勘察成果的质量进行鉴别,十分必要。

(一)勘察监理的依据

(1)有关工程建设的法律、法规、政策和规定；

(2)有关工程勘察的规范、规程、标准和定额；

(3)经批准的可行性研究报告；

(4)依法成立的勘察合同和监理委托合同。

(二)勘察阶段监理工作的主要内容

(1)协助建设项目业主编制勘察任务书。

(2)审查勘察单位的资质、信誉、技术水平、经验、设备条件等,为建设项目业主选择勘察单位提供依据。

(3)审查勘察单位提出的勘察方案,主要审查其方案的合理性、手段的有效性、设备的适用性、试验的必要性、进度安排是否能实现合同要求。

(4)勘察过程的监理。主要有两方面任务:一是勘察过程的进度控制,主要检查人员、设备是否按计划进场,实际勘察进度与计划进度是否一致,必要时可直接通知勘察单位予以调整;二是勘察过程的质量控制,主要检查勘察方案的执行情况,如勘察项目是否完全,勘察点线有无偏、错、漏,操作是否符合规范,钻孔深度、取样位置及样品保护是否得当等。

(5)勘察合同的管理。主要是监督勘察单位履约,同时根据合同约定签发勘察费用支付凭证,并根据公正、合理原则处理勘察过程中的索赔问题及工程变更和洽商等有关事项。

(6)勘察成果的审核。对勘察单位提出的最终成果进行审核,勘察成果必须真实、准确、可靠,并符合合同的要求。

(7)编写勘察阶段监理工作总结报告,并报送项目业主。

二、工程设计阶段的监理工作

工程设计阶段的监理工作包括从编制设计要求文件开始直到完成施工图设计全过程的监理。

(一)工程设计阶段监理工作的主要依据

(1)国家现行的有关工程设计、工程建设的法律、法规、规程、规范及相关政策；

(2)本建设项目的设计合同和监理委托合同；

(3)已批准的建设项目可行性研究报告；

(4)已批准的选址报告；

(5)城市规划管理部门及有关主管部门对本工程项目的批文；

(6)建设项目业主提供的有关设计阶段的工程地质、水文地质勘察报告，1/5 000～1/10 000地形测量图；

(7)地区气象、水文、地质、地震等自然条件；

(8)设计需要的其他资料及技术标准、规范、定额。

(二)工程设计阶段监理工作的主要内容

(1)根据已批准的建设项目可行性研究报告、上级规划部门批准的规划要求和当地有关主管部门的要求，编制"设计要求"文件。

(2)协助建设项目业主组织设计方案竞赛或招标，参与设计方案的评选或评标。

(3)协助建设项目业主与选定的设计单位签订委托合同。

(4)监督设计单位进行初步设计，协助组织并参与审查初步设计文件和概、预算。

(5)根据已审查通过并经上级主管部门批准的初步设计文件，监理设计单位按委托设计合同的规定，保质、保量、按时完成施工图设计。

(6)协助组织并参与审查施工图和概、预算，使其满足"设计要求"文件的规定。

(7)签发设计费用支付凭证。

(8)编写设计阶段监理工作总结报告，并报送项目业主。

三、施工准备阶段的监理工作

(1)设计交底前，监理人员熟悉设计文件，并对设计图中存在的问题，通过建设项目业主向设计单位提出书面意见和建议。

(2)监理人员参加由建设项目业主组织的设计交底会。

(3)审查施工组织设计，总监理工程师签认后报建设项目业主。

(4)审查承包单位现场管理机构的质量管理体系、技术管理体系和质量保证体系，并予以确认。

(5)审查分包单位资质、业绩及特殊工种的合格证、上岗证。

(6)专业监理工程师应检查承包单位专职测量人员的岗位证书及测量设备鉴定书，并对其报送的测量放线控制成果及保护措施进行检查，符合要求的，予以确认。

(7)专业监理工程师应审查承包单位报送的工程开工报审表及相关资料。具备以下开工条件时，由总监签发并报建设项目业主：①施工许可证已获政府主管部门批准；②征地拆迁工作能满足工程进度需要；③施工组织设计已获总监理工程师批准；④承包单位现场管理人员已到位，施工人员已进场，机具和主要工程材料已落实；⑤进场道路及水电、通信等已满足开工要求。

(8)工程开工前的第一次工地会议由项目业主主持，承包单位、监理单位参加，主要内容包括：①建设项目业主、承包单位和监理单位分别介绍各自派驻现场的组织机构、人员及其分工；②建设项目业主根据委托监理合同宣布对监理方的授权；③建设项目业主介绍工程开工准备情况；④承包单位介绍施工准备情况；⑤总监介绍监理规划的主要内容；⑥研究确定施工过程中参加工地例会的主要人员、周期及地点；⑦第一次工地会议纪要由监理方起草，经与会各方代表签字确认。

四、施工阶段的监理工作

(一)工程质量控制

建设项目工程质量是建设项目的核心，是决定工程建设成败的关键；没有质量就没有效益、没有进度、没有社会信誉、没有使用安全。因此，工程监理的三大控制必须坚持以工程质量控制为核心。

1. 工程质量控制监理原则

(1)以工程设计、施工及验收规范、工程质量验评标准等为依据，督促承包单位全面实现承包合同约定的质量目标。

(2)对建设项目工程施工全过程实施质量控制，并以事前控制为重点。

(3)对工程项目的人、机、料、方法、环境等因素进行全面的质量控制，监督承包单位的质量保证体系落实到位。

(4)严格要求承包单位执行有关材料试验制度和设备检验制度。

(5)坚持不合格的建筑材料、构配件和设备不准在工程上使用。

(6)坚持本工序质量不合格或未进行验收下一道工序不得施工。

2. 工程质量控制监理基本程序

(1)工程材料、构配件和设备质量控制基本程序如图 9-1 所示。

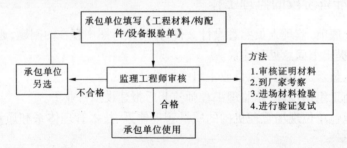

图 9-1 工程材料、构配件和设备质量控制基本程序

(2)分包单位资格审查基本程序如图 9-2 所示。

(3)分项、分部工程报验签认基本程序分别如图 9-3、图 9-4 所示。

(4)单位工程验收基本程序如图 9-5 所示。

3. 工程质量控制监理方法

(1)质量控制应以事前(预防)控制为主。

(2)应按监理规划和实施细则的要求对施工过程进行检查，及时纠正违规操作，消除质量隐患，跟踪质量问题，验证纠正效果。

(3)应采用必要的检查、测量和试验手段，以验证施工质量。

(4)对关键工序和重点部位施工过程进行旁站监理。

(5)严格执行现场见证取样和送检制度。

（6）应建议撤换承包单位不合格人员及不合格的分包单位。

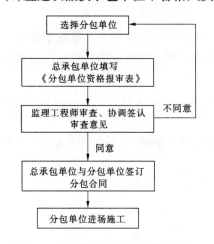

图9-2　分包单位资格审查基本程序

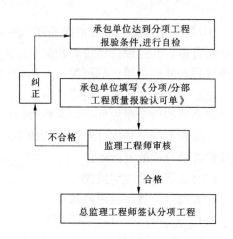

图9-3　分项工程报验签认基本程序

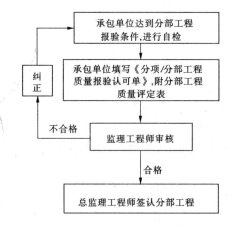

图9-4　分部工程报验签认基本程序

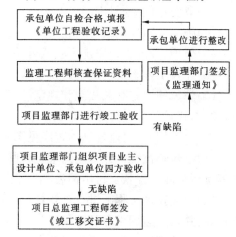

图9-5　单位工程验收基本程序

4.施工过程中的质量控制监理

（1）施工过程巡视和检查。对隐蔽工程的施工过程及下道工序施工完成后难以检查的重要部位均安排监理人员旁站。

（2）监理工程师应根据承包单位报送的隐蔽工程报验申请表和自检结果进行现场检查,符合要求后予以签认。对未经监理人员验收或验收不合格的工序,监理人员应拒绝签认,并严禁承包单位进行下一道工序施工。

（3）总监理工程师应组织监理人员对承包单位报送的分项、分部工程和单位工程质量验评资料进行审查和现场检查,符合要求后予以签认。

（4）对施工过程中出现的质量缺陷,监理工程师应及时下达监理通知,要求承包单位整改,并检查整改结果。

（5）监理人员发现施工存在重大质量隐患,可能造成质量事故或已造成质量事故时,应通过总监理工程师及时下达工程暂停令,要求承包单位停工整改。整改完毕经复查,符合要求后,及时签署复工令。总监理工程师下达暂停令和复工令,均应事先及时向项目业主报告。

(6)凡需要返工处理或加固补强的质量事故,总监理工程师应责令承包单位报送质量事故调查报告和经设计单位等相关单位认可的处理方案。项目监理机构应对质量事故的处理过程和处理结果进行跟踪检查和验收。

总监理工程师应及时向建设项目业主及本监理单位提交有关质量事故的书面报告,并应将完整的质量事故处理记录整理归档。

在质量控制中特别针对工序活动中的重要部位或薄弱环节,设置质量控制点,这是实现质量控制目标的有效办法。

(二)工程造价控制监理

1.工程造价控制监理的依据

(1)工程设计图、设计说明、设计变更洽商;

(2)市场价格信息;

(3)取费定额、项目定额;

(4)施工合同变更或协议;

(5)分项、分部工程质量报验认可单;

(6)建设工程施工合同或协议条款;

(7)国家和地方有关法规和规定。

2.工程计量和支付监理基本程序

工程计量和支付监理基本程序见图9-6。

(1)承包单位统计经专业监理工程师质量验收合格的工程量,按施工合同的约定填报工程量清单和工程款支付申请表。

(2)专业监理工程师进行现场计量,按施工合同的约定审核工程量清单和工程款支付申请表,并报总监理工程师审定。

(3)总监理工程师签署支付证书,并报建设项目业主。

3.工程款竣工结算监理基本程序

工程款竣工结算监理基本程序见图9-7。

(1)承包单位按施工合同规定填报竣工结算报表。

(2)监理工程师审核。

(3)总监理工程师审定竣工结算报表,与建设项目业主、承包单位协商一致后,签发竣工结算文件和最终的工程款支付证书,报建设项目业主。

(4)建设项目业主审核后向承包单位付款。

4.工程造价控制监理的其他工作

(1)总监理工程师应从造价、项目功能、质量和工期等方面审查工程变更方案,并宜在工程变更实施前与项目业主、承包单位协商确定工程变更的价款。

(2)专业监理工程师应及时收集整理有关工程施工和监理资料,为处理费用、索赔提供证据。

(3)对未经监理人员质量验收合格的工程量或不符合施工合同规定的工程量,监理人员应拒绝计量和该部分工程款的支付申请。

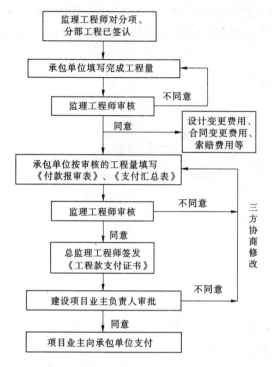

图 9-6　工程计量和支付监理基本程序

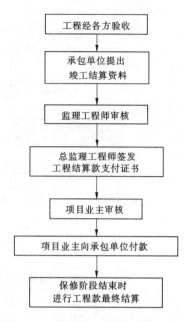

图 9-7　工程款竣工结算监理基本程序

(三)工程进度控制监理

工程进度控制监理基本程序见图 9-8。

(1)总监理工程师审批承包单位报送的施工总计划进度。

(2)总监理工程师审批承包单位编制的年、季、月施工进度计划。

(3)监理工程师对进度计划实施情况进行检查分析。

(4)当实际进度符合计划进度时,承包单位编制下一期进度计划;当实际进度滞后于计划进度时,监理工程师应书面通知承包单位采取纠偏措施并监督实施。

(四)安全控制的监理

安全控制监理的主要工作有以下几种。

(1)检查施工单位的安全生产责任制度、安全生产管理制度和相应的组织保证。

(2)审查施工组织设计和施工方案、施工技术措施时,同时审查施工安全措施。

(3)审核新技术、新工艺、新结构、新材料、新设备时,同时审核有无安全技术操作规程。

(4)监理过程中发现安全隐患应及时指出、限期解决。

(5)现场使用的机电设备,特别是起重设备,应保持良好的技术状态,严禁带病运转。

(五)竣工验收的监理

(1)依据有关法律、法规、工程建设强制性标准、设计文件及施工合同,对承包单位报送的竣工资料进行审查,并对工程质量进行竣工预验收。工程质量评估报告应经总监理工程师和监理单位技术负责人审核签字。

(2)参加由建设项目业主组织的竣工验收,并提供相关监理资料,对验收中提出的整改问题,项目监理机构应根据要求,由总监理工程师会同参加验收的各方签署竣工验收报告。

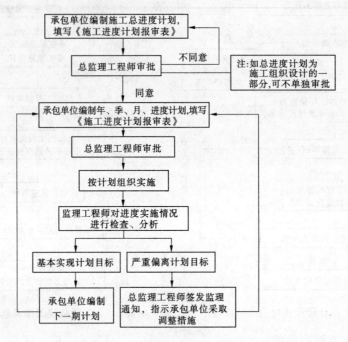

图9-8　工程进度控制监理基本程序

(六)工程质量保修期的监理

(1)依据委托监理合同约定的工程质量保修期的监理工作的时间、范围和内容开展工作。

(2)质量保修期的监理,一是监理人员对项目业主提出的工程质量缺陷进行检查和记录;二是对承包单位修复的工程质量进行验收,合格后予以签认;三是对工程质量缺陷原因进行调查分行,并确定责任归属;四是对非承包单位原因造成的工程质量缺陷,应该核实修复工程的费用和签署工程支付证书,并报项目业主。

第五节　施工合同管理的监理工作

一、工程暂停和复工的监理

(1)在发生下列情况之一时,总监理工程师可签发工程暂停令:①项目业主要求暂停施工,且工程需要暂停施工;②由于工程质量问题,必须进行停工;③施工出现了安全隐患,有必要暂停以消除隐患;④发生了必须暂时停止施工的紧急事件;⑤承包单位未经许可擅自施工,或拒绝项目监理机构的管理。

(2)总监理工程师签发停工令时,应根据停工原因的影响范围和影响程度,确定停工范围。

(3)在委托监理合同有约定或必要时,签发停工令前,应征求项目业主意见。

(4)由于非承包单位也非前述(1)中的②、③、④、⑤款原因时,总监理工程师在签发停工令前,应就有关工期和费用等事宜与承包单位进行协商。

(5)由于建设项目业主的原因或其他非承包单位原因导致工程暂停时,项目监理机构应如实记录所发生的实际情况。总监理工程师应在施工暂停原因消失、具备复工条件时,及时签署工程复工报审表。

(6)由于承包单位的原因导致工程暂停时,在具备恢复施工条件时,项目监理机构应审查承包单位报送的复工申请及有关材料,同意后由总监理工程师签署工程复工报审表。

(7)总监理工程师在签发工程暂停令到签署工程复工报审表之间的时间内,宜会同有关各方按照施工合同的约定,处理因工程暂停引起的与工期、费用有关的问题。

二、工程变更管理监理

(1)设计单位对原设计存在的缺陷提出的工程变更,应编制设计变更文件;项目业主或承包单位提出的工程变更,应提交总监理工程师审查,同意后,由建设项目业主转交原设计单位,编制设计变更文件。当工程变更涉及安全、环保等内容时,应按规定经有关部门审定。

(2)项目监理机构应根据实际情况,对工程变更的费用和工期做出评估,由总监理工程师与承包单位和建设项目业主协调一致后,签发工程变更单。

(3)项目监理机构根据工程变更单,监督承包单位实施工程变更。

(4)在项目业主和承包单位未能就工程变更的费用等方面达成协议时,项目监理机构应提出一个暂定的价格,作为临时支付工程进度款的依据。该项目工程款最终结算时,应以项目业主和承包单位达成的协议为依据。

(5)总监理工程师签发工程变更单之前,承包单位不得实施工程变更,否则监理机构将不予计量。

(6)工程变更监理程序见图9-9。

三、费用索赔处理的监理工作

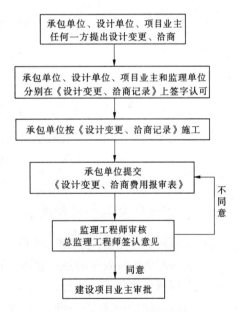

图9-9 工程变更监理程序

(1)费用索赔处理监理基本程序见图9-10。

(2)承包单位提出费用索赔的理由同时满足以下条件时,监理机构应予受理:①索赔事件造成了承包单位直接经济损失;②索赔事件不是由承包单位的责任引起的;③承包单位按照施工合同规定的期限和程序提出费用索赔申请表,并附有索赔凭证材料。

(3)承包单位向建设项目业主提出费用索赔,监理机构应按下列程序处理:①承包单位在合同规定的期限内,向监理机构提交对建设项目业主的费用索赔意向通知书;②项目监理部门收集与索赔有关的资料;③承包单位在承包合同规定的期限内,向监理机构提交对项目业主的费用索赔申请表;④监理工程师审查,并有一个初步意见,与承包单位和建设项目业主协商后,签署费用索赔审批表。

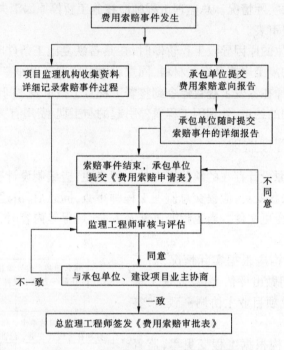

图9-10 费用索赔处理监理基本程序

(4)由于承包单位的原因造成建设项目业主的额外损失,建设项目业主向承包单位提出费用索赔时,总监理工程师在审查索赔报告后,应公正地与建设项目业主和承包单位协商并及时做出答复。

四、工程延期及工程延误的监理

(1)工程延期监理基本程序见图9-11。

(2)工程延期事件发生的主要原因有:①非承包单位的责任,使工程不能按原定工期开工;②工程量变化和设计变更;③非承包单位的原因,停水、停电、停气;④国家和地方有关部门正式发布的不可抗力事件;⑤建设项目业主同意工期相应顺延的其他情况。

(3)监理机构在下列情况下受理承包单位提出的工程延期申请:①工程延期事件发生后,承包单位在合同规定的期限内,提交工程延期意向报告;②承包单位按合同约定提交了有关工程延期事件的详细资料和证明材料;③工程延期事件终止后,承包单位在合同规定的期限内,提交了《工程延期申请表》。

(4)监理机构依下列情况确定批准工程延期时间:①施工合同中有关工程延期的约定;②工程拖延和影响工期事件的事实和程序;③影响工期事件对工期影响的量化程序。

(5)监理机构在做出临时工程延期的批准和最终的工程延期批准之前,均应与项目业主和承包单位进行协商;工程延期造成承包单位费用索赔时,亦应与建设项目业主和承包单位协商解决。

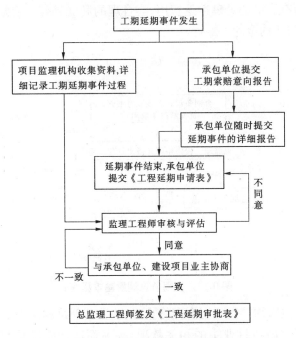

图 9-11 **工程延期监理基本程序**

(6)当承包单位未能按照施工合同要求的工期竣工交付,造成工期延误时,项目监理机构应按施工合同规定从承包单位应得款项中扣除误期损害赔偿费。

五、合同争议的调解

合同争议调解基本程序见图 9-12。

监理机构在合同争议调解中的工作有:

(1)及时了解合同争议的全部情况,包括进行调查和取证。

(2)及时与合同争议的双方进行磋商。

(3)适时提出调解方案,由总监理工程师进行调解。

(4)调解未达成一致时,总监理工程师提出合理解决争议的意见。如争议双方在规定的期限内未提出异议,则双方必须执行。

(5)在合同争议仲裁或诉讼过程中,监理机构接到仲裁机关或法院要求提供有关证据的通知后,应公正提供有关证据。

六、合同的解除

(1)施工合同的解除必须符合法律程序。

(2)当建设项目业主违约导致施工合同最终解除时,项目监理机构应就承包单位按施工合同规定应得到的款项与项目业主和承包单位进行协商,并按施工合同的规定从下列应得的款项中确定承包单位应该得到的合同款项,并书面通知项目业主和承包单位:①承包单位已经完成的工程量表中所列的各项工作所应得的款项;②按批准的采购计划订购工程材料、设备、构配件的款项;③承包单位撤离施工设备至原基地或其他目的地的合理费用;④承包单位所有人员的合理遣返费用;⑤合理的利润补偿;⑥施工合同规定的建设项目业主应该支付的违约金。

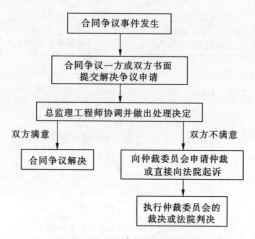

图 9-12　合同争议调解基本程序

(3)由于承包单位违约导致施工合同终止时,项目监理机构应按下列程序清理承包单位应得款项,或偿还建设项目业主的相关款项,并书面通知建设项目业主和承包单位:①施工合同终止时,清理承包单位已经按施工合同规定实际完成工作所应得的款项和已经得到支付的款项;②施工现场余留的材料、设备及临时工程的价值;③对已完成工程进行检查和验收,移交工程材料,该部分工程的清理、质量缺陷修复等所需要的费用;④施工合同规定的承包单位应支付的违约金;⑤总监理工程师按照施工合同的规定,在与建设项目业主和承包单位协商后,书面提交承包单位应得款项和偿还建设项目业主款项的证明。

(4)由于不可抗力或非建设项目业主、承包单位原因导致施工合同终止时,项目监理机构应该按施工合同规定处理合同解除后的有关事宜。

第六节　设备采购监理与设备监造

一、设备采购监理的含义和范围

(一)设备采购监理的含义

设备采购监理是设备监理单位受建设项目业主委托,根据供货合同和设备监理合同的约定,按照有关法律、法规、技术标准,对重要设备的设计、制造、检验、储运、安装、调试等过程的质量、进度和投资等实施监督管理。

(二)设备采购监理的范围

(1)使用国家财政性资金的大中型固定资产投资建设项目。

(2)涉及生产安全及国家法律、法规要求实施监理的特殊项目。

(3)使用国家政策性银行或国有商业银行贷款需要实施监理的项目。

二、设备采购监理

(1)监理单位应该依据与建设项目业主签订的设备采购阶段的委托监理合同,成立由总监理工程师和专业监理工程师组成的项目监理机构。

(2)监理人员应熟悉和掌握设计文件对拟采购的设备的各项要求、技术说明和有关的标准。

(3)项目监理机构应根据建设项目业主的采购计划协助组织和参加市场调查,并应协助建设项目业主选择设备供应单位。

(4)采用招标方式进行设备采购时,项目监理机构应该协助建设项目业主按照有关规定组织设备采购招标,并参与设备采购的技术及商务谈判,协助建设项目业主起草及签订设备采购订货合同。

三、设备监造

(1)监理单位依据项目业主设备监造委托合同,应该成立由总监理工程师和专业监理工程师组成的项目监理机构,进驻设备制造现场。

(2)总监理工程师和专业监理工程师应熟悉设备制造图及有关技术说明和标准,掌握设计意图和各项设备制造的工艺流程以及设备采购订货合同中的各项规定,协助组织或参加建设项目业主设备制造图的设计交底。

(3)总监理工程师应该组织专业监理工程师编制设备监造规划,经监理单位技术负责人审批批准后,在设备制造开始前10天报送建设项目业主。

(4)总监理工程师应该审查设备制造单位报送的设备制造生产计划和工艺方案,提出审查意见。符合要求后予以批准,并报送项目业主。

(5)总监理工程师应审核设备制造分包单位的资质情况、实际生产能力和质量保证体系,符合要求后予以确认。

(6)专业监理工程师必须对设备制造过程采用的新技术、新材料、新工艺的鉴定书和试验报告进行审核并签署意见。

(7)专业监理工程师应审查主要及关键零件的生产设备、操作规程和相关生产人员的上岗资格,并对设备制造和装配场所的环境进行检查。

(8)专业监理工程师应审查设备制造的原材料、外购配套件、元器件、标准件以及坯料的质量证明文件与检验报告,检查设备制造单位对外购器件、外协作加工件和材料的质量验收,并由专业监理工程师审查设备制造单位提交的报验资料,符合规定要求时予以签认。

(9)专业监理工程师应对设备制造过程进行监督和检查,对主要及关键零部件的制造程序进行抽验或检验。

(10)专业监理工程师应要求设备制造单位按批准的检验计划和检验要求进行设备制造过程的检验工作,做好检验记录,并对检验结果进行审核。专业监理工程师认为不符合质量要求时,责令设备制造单位进行整改、返修或返工。当发生质量失控或重大质量事故时,必须由总监理工程师下达暂停制造指令,提出处理意见,并及时报告项目业主。

(11)专业监理工程师应检查和监督设备的装配过程,符合要求后予以签认。

(12)在设备制造过程中如需要对设备的原设计进行变更,专业监理工程师应审核设备变更,审查因变更引起的费用增加和制造工期的变化,并及时报告建设项目业主。

(13)总监理工程师应组织专业监理工程师参加设备制造过程中的调试、整机性能验证,符合要求后予以签认。

(14)在设备运往现场前,专业监理工程师应检查设备制造单位对待运设备采取的运输方式和包装措施,并应检查是否符合运输、装卸、储存、安装的要求,以及相关的随机文件装箱单和附件是否齐全。

(15)设备全部运到现场后,总监理工程师应组织专业监理工程师参加由设备制造商按合同规定与安装单位的交接工作,开箱清点、检查、验收、移交。

(16)专业监理工程师应按设备制造合同的规定审核设备制造单位提交的进度,提出审核意见,由总监理工程师签发支付证书。

(17)专业监理工程师应审查建设项目业主或设备制造单位提出的索赔文件,上报总监理工程师,由总监理工程师与项目业主、设备制造单位进行协商,并提出审核报告。

(18)专业监理工程师应审核设备制造单位报送的设备制造结算文件,并提出审核,报总监理工程师审核,由总监理工程师与建设项目业主、设备制造单位进行协商,并审核报告。

第十章 建设项目的竣工验收

第一节 概 述

建设项目竣工验收是指建设项目的全部工程竣工验收,或称工程整体验收。

建设项目竣工验收的基本条件是:建设项目按照批准的设计文件规定的内容已全部建成,项目经过试车或生产试运行,能够生产出合格产品;准备好竣工图表、竣工决算,档案资料齐全,消防、安全等符合要求;按照国家有关规定组成竣工验收组,对提供的各项工程技术资料进行认真审查验收,并实地考察建筑工程和设备安装情况,辅助工程建设情况,对工程设计、工程施工和设备制造质量等方面做出全面评价。

水文水资源设施建设项目竣工验收是项目建设程序的最后一个重要环节,竣工验收也是一个过程,在很多阶段性工作基础上才能达到全面竣工验收。一个大型建设项目由多个单项工程和辅助工程组成。每一个单项工程中还有若干个独立的子项工程,它们有独立的合同,由专业施工单位施工且自成体系。这些单项工程或子项工程完成的时间不一,对已按照合同完成的工程必须及时进行验收。根据单项工程完成的情况和它在整个项目中的地位和作用,称初步验收。

水文水资源设施建设工程项目竣工验收的目的如下:

(1)检查项目法人在工程项目建设过程中执行国家法律、法规、规章和技术标准的情况;

(2)检查工程项目施工是否按照批准的设计文件、合同、任务书及下达计划的要求进行建设;

(3)检查、鉴定已完工程项目在设计、软硬件购置、设备安装、系统联合调试情况及土建项目的工程质量,并对验收遗留问题提出处理要求;

(4)检查工程试生产状况,是否具备投产运行条件;

(5)检查工程设计中提出的为运行管理所必需的手段是否具备;

(6)检查工程档案资料的准备情况;

(7)总结工程项目在建设过程中的经验教训,提高建设和管理水平,并对工程项目做出评价。

项目通过竣工验收,可以全面、综合考核建设项目的工程设计、工程施工和设备制造质量,还可以认真总结建设项目的决策水平和项目建设的管理水平,吸取有益的经验教训;通过竣工验收的全过程,还可以促进建设项目及时投产,尽快发挥投资效果。建设项目的竣工验收是建设项目业主的利益所在,在整个验收过程中建设项目业主处于主导地位,无论是单项工程验收,还是全面竣工验收,都要以建设项目业主为主组织协调工程设计、工程监理、施工单位等各方面的工作,及时审查承包商提出的交工或验收申请报告,扎扎实实做好每一个阶段的验收工作,最终做好全面竣工验收的各项准备,按国家有关规定进行竣工验收和办理固定资产移交手续。

第二节　建设项目竣工验收的依据、要求、程序、组织

一、建设项目竣工验收的依据

建设项目竣工验收的依据有:

(1)国家有关法律、法规和水利部颁发的有关规程、规范、规定和技术标准等;

(2)批准的设计文件及相应的设计变更和修改文件,监理签发的施工图纸和说明,设备的技术说明书,下达的投资计划,工程项目的合同书、任务书,以及上级主管部门下达的有关审批、调整、修改文件等;

(3)利用外资项目应符合外资项目管理的有关规定。

二、建设项目竣工验收的要求

建设项目竣工验收,主要由建设项目业主负责组织现场检查,收集与整理各种文件资料,同时工程设计单位、工程施工单位、工程监理单位、设备制造单位都要按合同要求,负责地提供项目实施过程中的原始记录、工作总结、竣工图和完整的资料,对合同执行情况进行总结并提供相关设计图资料。建设项目的单项工程都已完成交工验收或单项验收,所有施工安装、设备供应等合同已基本执行完毕。一般情况下,建设项目符合以下要求才能进行全面竣工验收。

(1)工程已按批准设计规定的内容全部建成。

(2)工程能正常运行。

(3)归档资料符合工程档案资料管理的有关规定。

(4)工程建设征地补偿及移民安置等问题已基本处理完毕,工程主要建筑物安全保护范围内的迁建和工程管理土地征用已经完成。

(5)工程投资已经全部到位。

(6)竣工决算已经完成并通过竣工审计。

虽然上述规定的条件尚未完全具备,但属下列情况者仍可进行竣工验收:①个别单位工程尚未建成,但不影响主体工程正常运行和效益发挥,竣工验收时应给该单位工程留足投资,并做出完建的安排;②由于特殊原因致使少量尾工不能完成,但不影响工程正常安全运用,竣工验收时应对尾工进行审核,责成有关单位限期完成。

三、建设项目竣工验收的程序

验收工作分三个阶段进行,即分部分项工程验收、阶段(中间)验收和竣工验收(竣工验收应先进行初步验收,然后进行竣工验收)。

(一)分部分项工程验收

分部分项工程验收是指工程按照分部分项工程的划分施工,完成了某一项分部分项

工程,要进行下一分部分项工程的施工时,需要对已经完成的分部分项工程进行验收。其主要工作是检查施工是否符合设计书、合同、任务书的要求,对发现的问题及时处理并按有关规定评定工程质量等级。验收应着重各分部工程中的分项(或单元)工程施工的相互衔接和联合运用等。

分部分项工程验收应具备以下条件:

(1)该分部分项工程已按照批准设计、合同书、任务书规定的内容全部完成;

(2)该分部分项工程有关资料已准备就绪。

(二)阶段(中间)验收

阶段(中间)验收是指当施工达到一定关键阶段(如基础部分完成,即将过水或淹没),或施工单位行将更迭,以及工程停、缓建等,需要进行的验收。对于较小或结构较简单的工程,阶段(中间)验收可以简化或省略。

1.阶段(中间)验收应具备的条件

(1)该部分工程已按照批准设计、合同书、任务书规定的内容全部完成;

(2)该部分工程有关资料已准备就绪。

2.阶段(中间)验收的主要工作

(1)检查该部分工程是否符合设计、合同书、任务书的要求;

(2)对水文基础设施的设备安装、系统的性能和功能进行测试并鉴定,对土建工程项目进行质量鉴定;

(3)对验收遗留问题提出处理意见;

(4)商定部分工程试运行的工作计划和各方的分工与职责;

(5)施工(开发)单位向运行管理单位移交该部分工程。

(三)竣工初步验收

竣工初步验收指全部工程基本完成,已具备投入试生产运行条件但尚未经过试生产运行检验而进行的验收。

1.竣工初步验收应具备的条件

(1)工程项目已按批准设计、合同书、任务书规定的内容基本完成;

(2)工程投入试生产后,不影响其他工程正常施工,且其他工程施工不影响该工程安全运行(或防护措施已落实);

(3)运行管理条件已初步具备;

(4)少量尾工已妥善安排;

(5)需移交运行管理单位时,项目法人与运行管理单位已签订工程试生产管理协议书;

(6)工程项目投资已基本到位,并具备财务决算条件;

(7)有关验收报告已准备就绪。

2.竣工初步验收的主要工作

(1)检查工程项目是否按照批准设计、合同书、任务书完成;

(2)审查项目法人、设计、施工(开发)、监理、运行管理单位的工作报告和测试组的测试工作报告;

(3)检查工程建设情况,鉴定工程质量,对已通过阶段(中间)验收的部分工程,主要检查试运行结果;

(4)检查阶段(中间)验收中的遗留问题和已投入使用工程项目在试运行期间所发现问题的处理情况,并对验收存在问题提出意见;

(5)确定尾工内容清单、完成期限和责任单位等;

(6)对重大技术问题做出评价;

(7)检查工程项目档案资料的准备情况;

(8)根据专业技术组的要求,对工程质量作必要的抽检;

(9)商定试运行的工作计划和各方的分工与职责;

(10)协商有关部门和单位之间的矛盾,特别是影响工程项目竣工验收的矛盾;

(11)提出竣工验收的建议日期;

(12)起草"竣工验收鉴定书"初稿。

(四)竣工验收

竣工验收是指工程项目全部完成,经过试生产运行后达到竣工验收条件而进行的验收。试生产运行期,应根据水文测报设施设备工程建设的类别、用途区别对待,凡在相关规范和规定中明确规定的,应按规定执行,没有明确规定的,一般不少于半年;测洪设施设备工程不少于一个汛期,冰期测验设施设备工程不少于一个冰期。在试生产运行期间,测验设施设备工程原则上由使用单位负责运行和维护工作;施工单位对测验设施设备工程中的缺陷负责,并应及时修理和承担修理费用;制造厂对设备制造出现的缺陷负责,并应及时处理和承担费用。

试生产运行结束后,及时组织有关专业人员对工程的质量提出评价意见,并由使用单位编写工程的试生产(工程初期运行)或管理情况报告(包括观测资料分析、效益评价等)。

1.竣工验收应具备的条件

(1)工程项目已按批准设计、合同书、任务书规定的内容全部完成,能够正常使用,经分部分项工程验收、阶段(中间)验收和初步验收合格;

(2)工程质量、消防设施、环境保护、运行管理等经有关法定行业行政单位专项验收合格,有出具的认可文件(证书)或准许使用文件(证书);

(3)历次验收和工程项目试运行期间发现的问题,已基本处理完毕;

(4)按批准设计文件所提出的工程项目运行和管理条件已经具备;

(5)有关迁建赔偿和工程管理征地等问题已基本处理完毕;

(6)工程项目投资已经全部到位;

(7)竣工财务决算已经完成并通过审计;

(8)归档资料符合工程项目档案资料管理的有关规定。

建设工程项目已基本完建,竣工验收条件未完全具备,但属下列情况时,可以进行竣工验收:①个别单元或分项工程尚未建成,但不影响主体工程正常运行和效益发挥,验收时应给该单位工程留足投资,并做出完建的安排;②由于特殊原因致使少量尾工不能完成,但不影响工程正常安全运用和效益发挥,验收时应对尾工进行审核,责成有关单位限期完成。

2.竣工验收的主要工作

(1)审查项目法人"工程建设管理工作报告"和初步验收工作组"初步验收工作报告";

(2)检查工程项目是否按照批准设计、合同书、任务书完成及工程试运行情况;

(3)根据需要对工程质量作必要的抽查;

(4)检查工程运行状况;

(5)协调处理有关问题;

(6)讨论并通过"竣工验收鉴定书"。

3.竣工验收所需资料

当工程项目具备竣工验收条件时,项目法人应向验收主持单位(项目主管单位或工程基本建设管理权限负责单位)提出申请,并提供下列资料:

(1)工程竣工报告(工程建设管理报告);

(2)工程施工总报告;

(3)工程建设质量监督报告;

(4)工程建设监理报告;

(5)专项工程验收报告(附专项验收文件或证书);

(6)工程初期运行或管理情况报告(包括观测资料分析);

(7)分部分项工程验收、阶段(中间)验收、初步验收的综合报告(附签证目录);

(8)工程竣工图纸目录、竣工项目说明及清单;

(9)工程竣工财务决算报告、决算财务报表、竣工决算、审计报告及与决算审计有关的合同或协议书复印件等资料;

(10)工程已经移交和准备移交的原始文件资料及目录;

(11)工程已经移交和准备移交的设施、设备及基建订货中的各种备品配件、专用工具、仪器仪表、工器具清单;

(12)工程建设大事记;

(13)建设项目应附"竣工决算审计申请书"。

四、建设项目竣工验收的组织

按现行规定,大中型和限额以上的建设项目,由国家发改委或由国家发改委委托项目主管部门和地方政府部门组织验收;小型和限额以下的建设项目,由项目主管部门或地方政府部门组织验收。

建设项目竣工验收组织,应根据建设项目规模大小、复杂程度,组建验收委员会或验收组。特别复杂和重要的特大型项目,在验收委员会外,应另外组织专家咨询机构,为竣工验收做细致的准备和复核工作。验收委员会或验收组的成员由上级主管部门、建设项目业主、工程勘察设计单位、工程监理单位、施工承包商、主要设备供应商、银行等有关部门及相关单位参加。

验收委员会或验收组的主要职责和任务为:

(1)听取建设项目业主对项目建设的全面工作报告,有关单位的工作总结报告。

(2)审查各项主要技术资料和项目文件,如可行性研究报告、设计文件、有关重要会议纪要和各种批文、主要合同、协议、工程技术档案等。

(3)对建设项目的主要生产设备、主要工程部位的施工质量进行复验和鉴定,对工程设计的先进性、合理性、适用性、经济性进行评审鉴定。

(4)审查生产试运行、生产准备情况(含操作规程、生产管理规章的建立)。

(5)全面评定工程质量,对整个工程做出全面验收鉴定。对项目投入生产运行做出可靠性结论。

(6)核定工程收尾项目,对遗留问题提出处理意见。

(7)核定移交工程清单,签订竣工验收鉴定证书。

(8)提出竣工验收工作的总结报告。

第三节　建设项目竣工决算

建设项目竣工决算是批准所有建设项目竣工验收后,建设项目业主都要按照国家有关规定编制竣工决算报告。竣工决算是正确核定新增固定资产价值、考核分析投资效果、建立健全经济责任制的依据,也是竣工验收报告的重要组成部分。

一、竣工决算的编制

水文水资源设施建设项目业主编制竣工决算,主要是将建设项目从筹建开始一直到竣工投产交付使用为止的全部费用,即建筑工程费用、安装工程费用、设备和工器具购置费用及其他费用,进行最终清理决算。在编制竣工决算前,应对建设项目的所有财产和物资,包括各种建筑材料、设备、备品备件、施工设备等进行逐项清点,核实账物,清理所有债权债务,应偿还的及时偿还,该收回的抓紧收回。通过竣工决算,用以反映建设过程中实际发生的全部基本建设支出,落实结余的各项财产、物资和其他资金,借以正确核定新增固定资产的价值。在编制竣工决算时,要对项目建设过程中资金使用情况进行认真的审定,考核概、预算执行情况,分析投资效果,总结经验教训。

二、竣工决算的内容

水文水资源设施建设项目竣工决算的内容,对大中型项目和小型项目有不同的要求。大中型建设项目的竣工决算,一般应包括如下内容:

(1)竣工工程概况表。主要用以反映新增生产能力、基本建设支出以及技术经济指标等内容,用以全面考核计划和概、预算的执行情况,分析投资效果。它的主要内容包括:项目业主单位名称,建设地点,新增生产能力,建设时间,初步设计和概、预算批准机关、日期、文号,完成的主要工程量,基本建设支出,主要材料消耗,主要技术经济指标,收尾工程。其中收尾工程是指全部工程验收投产后遗留的少量工程,这部分工程的投资,根据具体情况进行估算后列入。

(2)竣工财务决算表。用以反映竣工项目的全部资金来源和资金运用情况,落实结余的各项财产物资和其他资金。内容主要包括:资本金、债务资金及其他资金来源,交付使用财产,待摊投资,在建工程,结余资金和物资等。

(3)交付使用财产总表和交付使用财产明细表。用以汇总反映各个单项工程和详细反映建成交付使用单位的新增固定资产与流动资产的全部价值。

第四节　建设项目竣工资料的移交

所有参加项目建设的单位都必须在项目开始阶段,即项目建设的第一阶段就按照工程程序建立项目档案系统,汇集整理有关资料。这项工作应该与工程建设和生产准备同步进行,从开始一直做到项目结束,竣工验收为止,任何情况下不能中断这项工作。项目建设资料由建设项目业主按照统一规定的要求,分类立卷,在竣工验收时移交给生产单位统一保管,作为今后维护、改造、扩建、科研、生产组织的重要依据。

一、竣工图

建设项目竣工图是真实、准确、完整记录所有各种类型建筑物的详细情况的技术图样和资料,是生产单位必须长期保存的最重要的技术档案,是竣工验收的必需条件之一。没有完整的竣工图就不能申请竣工验收。建设项目业主(也可通过工程监理单位)要有效地组织设计、施工、安装等单位及时准确地提交竣工图。竣工图的绘制应达到以下基本要求:

(1)完全按施工图施工的,可由施工单位在原图上加盖"竣工图"标志,即可作为竣工图。若在施工中有一般性的设计变更,如能在原图上加以修改,并能准确地载明施工原状的,可以不再绘制新图,由施工单位在原图上注明修改部分,并将设计修改通知及施工说明附在图上,加盖"竣工图"标志,即可作为竣工图。

(2)结构形式改变、工艺改变、平面布置改变、项目改变以及其他重大改变,无法在原设计图上修改、补充的均应重新绘制改变后的完全符合施工原状的竣工图。

(3)任何隐蔽工程都要按规定绘制竣工图。同时要在现场做好隐蔽工程的标志和检验记录,整理好设计变更文件,确保竣工图质量。

(4)所有施工图一定要与实际施工情况相符,规格统一,与正式的竣工图一样,同样要有负责人签字,校核和审定人签字。

二、项目建设与管理的档案资料移交

项目建设的管理、设计、施工、监理等单位对整个项目建设从项目生产周期的第一阶段到竣工投产、交付使用的各阶段所形成的文件资料、文字资料、设计图、图表、计算资料、试验报告与试验资料、工程照片、记录照片、录像、光盘等,均需收集、整理、归档后妥善保存。

国家档案管理的行政主管部门,在大型项目的验收前,有专门的档案管理与移交的预验收。只有在档案管理部门认可并通过验收后,才有资格申请国家对项目的正式验收。

第十一章　建设项目后评价

第一节　概　述

一、建设项目后评价的含义

(一)后评价的概念

后评价就是对已经实施完成的或当前正在实施的社会经济活动,以及相关工作人员的绩效,按不同层次、不同内容、不同要求进行回顾、检查和总结分析,对照原定目标,判断其合理性、有效性,从中得出经验与教训,并预测未来前景,提出改进措施与建议,向决策部门反馈,用以改善管理、指导未来决策的活动。

水文水资源设施建设项目后评价,其基本含义可归纳为:在水文水资源设施建设项目实施过程中的某一阶段或竣工验收后的某一时点,对其进行全面系统的回顾和总结,并将项目实施过程及项目完成后的最终成果和影响与项目决策时确定的各项计划和目标进行全面系统的对比,找出差异,分析原因,得出经验教训,提出改进建议,反馈给决策部门的工作。

(二)前评估与后评价的区别

按一般含义,评估是事前评议估计,评价是事后评定价值成果,二者区别主要有以下三点:

(1)时点区别。建设项目前评估发生在建设项目决策前;而建设项目后评价发生在建设项目竣工验收一段时间或建设实施一段时间之后。

(2)目的区别。建设项目前评估为项目投资决策服务;而建设项目后评价是分析评价项目实施过程的成败得失,总结经验教训,其主要目的,一是为改善项目经营管理或调整建设目标提供咨询和建议,二是为以后建设项目的决策提供参考。

(3)属性区别。建设项目前评估属项目周期前期决策阶段中不可或缺的重要一环;而建设项目后评价是对项目建设全过程进行监督的新型手段。

二、建设项目后评价的基本原则

(一)独立性

独立性是指建设项目后评价通常应由独立的第三方完成,评价过程和结论不受项目决策者、管理者、执行者和前评估人员的干扰,这是评价的公正性和客观性的重要保障。没有独立性,或独立性不完全,评价工作就难以做到客观和公正。为保持后评价独立性,必须在评价机构的设置、人员组成、经费来源等方面综合考虑。

(二)客观性

客观性是指评价人员在调研过程中,要广泛听取各方面的反映和不同意见;认真察看现场,尽量全面了解项目的历史和现状;广泛收集和深入研究项目建设的相关数据与资料,去伪存真、客观分析;评价报告要以事实为依据,以总结经验教训为出发点,做到以理服人。

(三)科学性

科学性是指评价的方法和手段要科学,前后对比的口径要一致,采用的数据要有可比性,设置的评价指标体系要合理。只有坚持评价的科学性,才能得出客观求实的评价结论,反馈的评价成果、经验和建议才有真正的实用价值。坚持科学性,还取决于建设项目的各种数据资料等信息的真实性和项目经营管理人员、项目最终受益者共同参与后评价活动的主动性。

(四)公正性

公正性是指评价结论要公正,既要指明现实存在的问题,也要客观分析问题产生的历史原因和时代的局限性;既要实事求是地总结成功的经验,也要认真负责地总结失败的教训。

三、建设项目后评价的基本特性

与建设项目可行性研究和前评估相比,建设项目后评价具有以下基本特性。

(一)建设项目后评价内容的全面性

建设项目后评价既要总结、分析和评价投资决策实施过程,又要总结、分析和评价项目的经济效益、社会效益,而且还要总结、分析和评价项目运营管理。

(二)建设项目后评价的动态性

建设项目后评价主要是项目竣工投产1~2年后的全面系统评价,也包括项目建设中某些中期阶段的事中评价或称中间跟踪评价,具有明显的动态性。把建设项目评价纳入项目管理过程,成为管理的组成部分,对建设项目进行阶段性评价,有利于及时了解、改正项目建设过程中出现的问题,减少项目建设后期的麻烦,提高投资效益。

(三)建设项目后评价方法的对比性

只有对比才能找出差异,才能判断决策、实施的正确与否,才能分析和评价成功或失误的程度。将已经实施完成的结果或某阶段性结果,与建设项目原批准的可行性报告设定的各项目预期指标进行详细对比,找出差异,分析原因,总结经验和教训。建设项目后评价有强烈的对比性。

(四)建设项目后评价依据的现实性

建设项目后评价是对项目已经完成的现实结果进行分析研究,依据的数据资料是建设项目实际发生的真实数据和真实情况,对将来的预测也是以评价时点时的现实情况为基础。因此,后评价依据的有关资料,数据的采集、提供、取舍都要坚持实事求是的原则,否则将违反后评价的客观性,导致错误的结论。

(五)建设项目后评价结论的反馈性

建设项目后评价是为改进和完善项目管理提供建议,为投资决策部门提供参考和借鉴。要实现这个目的就必须将后评价的成果及结论实行有效反馈。通过反馈机制,使后评价总结出来的经验得到推广,教训得以吸取,防止错误重演,使合理建议得到采纳和应用,最终使后评价成果变为社会财富,产生社会效益,实现评价的目的,这是建设项目后评价的最大特点。由于建设项目后评价内容包含对建设项目投资决策工作的"评头论足",后评价成果及结论的反馈要有十足的勇气和能力。作为建设项目投资决策部门,也应敢于正视工作中的失误和教训,将建设项目后评价的成果及结论反馈到起作用的部门和领导。

四、建设项目后评价的主要作用

(一)为提高建设项目决策科学化水平服务

建设项目前评估是为项目投资决策提供依据。建设项目前评估中所做的预测是否正确,需要建设项目建设的实践来检验,需要建设项目后评价来分析和判断。通过建立完善的建设项目后评价制度和科学的方法体系,一方面可以促使前评估人员增强责任感,努力做好前评估工作,提高项目预测的准确性;另一方面可以通过建设项目后评价反馈的信息,及时纠正建设项目决策中存在的问题,从而提高未来建设项目决策的科学化水平。

(二)为国家和水利部门合理确定和调整投资决策提供参考

建设项目后评价总结的经验教训,往往涉及到政府宏观经济管理中的某些问题,国家和水利部门可根据反馈的信息,合理确定和调整投资规模与投资流向。此外,还可通过建立必要的法规、法令、相关的制度和机构,促进投资管理的良性循环。

(三)为提高建设项目管理水平提出建议

建设项目管理是一项十分复杂的活动,它涉及到政府有关部门、建设项目业主、设备制造和材料供应、工程勘察设计、工程施工、工程监理等许多部门,只有各方面密切合作,建设项目才能顺利完成。如何协调有关各方的关系,应采取什么样的具体协作形式等都应在项目建设过程中不断摸索、不断完善。建设项目后评价通过对已建成项目实际情况的分析研究,总结项目管理经验教训,指导未来项目管理活动,提高项目管理水平。

(四)促使建设项目运营状态正常化

建设项目后评价要分析和研究建设项目投产初期和达产时期的实际情况,比较实际状态与预测目标的偏离程度,分析产生偏差的原因,提出切实可行的改进措施,促使建设项目运营状态正常化,提高建设项目的经济效益和社会效益。

五、建设项目后评价的分类

水文水资源设施建设项目后评价分为综合后评价和中间跟踪评价两类。

(一)综合后评价

综合后评价是指在已完成竣工验收转入生产运营后的某一时点,对建设项目所进行的全面评价。综合后评价以项目的投资效益为中心,以项目决策和建设实施效果以及生产运营状况为重点。

(二)中间跟踪评价

中间跟踪评价是指在项目从开工到竣工验收前的实施过程中某一时点对项目建设实

际状况所进行的阶段性评价。评价以项目实施过程中出现的有可能影响项目建设和预期目标实现的因素为重点。

六、建设项目后评价依据的基础资料

(1)有关项目建设和生产运营的主要文件：①项目建议书、可行性研究报告、项目评估报告、环境影响评价报告、工程设计文件及概(预)算、开工报告、概算调整报告、招标投标文件、各种合同、竣工验收报告及其相关的批复文件，项目建设实施过程中发生重大变化的相关资料；②项目运行情况、财务报表及相关资料。

(2)与项目有关的审计、稽查报告等。

(3)建设项目业主为建设项目后评价准备的文件。建设项目业主在项目竣工验收后、后评价开始前，应进行全面系统的回顾和总结，并提供《建设项目总结评价报告》，即项目业主的自我评价报告。中间跟踪评价的项目，项目业主在评价开始前也应提供阶段性《建设项目总结评价报告》。

上述基础资料，均需要建设项目业主提供和编写。由于项目从立项到后评价的间隔时间很长，建设项目业主难免有人员变动和其他外部因素影响，因此需要建设项目业主从项目开始就要注意项目资料的收集、归档和保存，以便提供完整、真实的资料，为保持后评价的现实性和坚持后评价的客观、公正的原则打下基础。

第二节　建设项目后评价的范围和内容

一、建设项目后评价的范围

(一)按项目周期界定

建设项目后评价的范围是项目建设的全过程，是全过程的各个阶段，即从建设项目的前期决策阶段到竣工验收以及评价时点前的生产运营各阶段。

(二)按评价任务界定

建设项目后评价的范围，不仅仅包含对建设项目的工程技术的评价，还包含对建设项目的经济效益、社会效益和影响的评价。

1.工程技术评价

一个项目建成的标志是多方面的，主要包括以下两方面：

(1)工程建成，即项目的实物建成。是指按工程设计确定的建设内容，项目的土建完工、设备安装调试完成，装置和设施经过试运行，符合工程设计的质量要求，并已通过竣工验收。

(2)技术建成，也可叫做设计能力建成。主要是指建设项目的设施和设备运行参数达到设计的技术指标，能够生产出合格产品并达到设计能力。

2.项目效益和影响评价

水文水资源设施建设项目一般不侧重于经济效益评价，而更侧重于社会效益与影响评价。社会效益与影响评价主要包括对国家经济发展目标的影响，对流域经济、地区经济

发展的影响,对部门经济发展的影响,对相关水利工程经济和社会效益发展的影响,对水文水资源科学技术发展的影响等。

二、建设项目后评价的内容

建设项目后评价的内容可分为四部分:建设项目过程评价;建设项目效益评价;建设项目目标实现程度和可持续性评价;总结经验教训,提出对策和建议。

(一)建设项目周期各阶段的总结与评价

建设项目过程评价即在"建设项目总结评价报告"和现场调查研究基础上,去伪存真、客观求实地对建设项目各个阶段的实施过程、产生的问题及原因进行全面系统的总结和评价。

建设项目全过程的回顾和总结,一般分四个阶段:建设项目前期决策、建设项目建设准备、项目建设实施、项目生产运营等。

1.项目前期决策阶段的总结与评价

(1)对建设项目可行性研究的评价。对建设项目可行性研究报告的后评价重点是:建设项目的目的和目标是否明确、合理;是否进行了多方案比较,选择了正确的方案;建设项目的效果和效益是否可能实现;建设项目是否可能产生预期的作用和影响。

(2)对建设项目评估的评价。对建设项目评估报告的后评价重点是:评估报告中关于建设项目目标的分析与评价;关于效益指标的分析与评价;关于建设项目风险的分析与评价等。

(3)对建设项目决策的评价。对建设项目决策的后评价包括建设项目决策程序、决策方法的分析与评价,以及投资决策内容的分析与评价三部分内容。

2.项目建设准备阶段的评价

(1)对工程勘察设计的评价主要包括:①对工程勘察设计单位的选定方式和程序,能力和资信情况以及效果分析评价;②对工程勘测工作质量进行评价,结合工程实际,分析工程测绘、勘测深度及资料对工程设计和建设的满足程度与影响;③对工程设计方案的评价,包括设计指导思想、方案比选、设计参数、设计变更等情况及原因分析;④对工程设计水平的评价,应包括总体技术水平,主要设计技术指标的先进性、实用性,新技术装备的采用,设计工作质量和设计服务质量等。

(2)对招标投标工作的评价。对招标投标工作的评价,应该包括对招投标公开性、公平性、公正性和合法性、合规性以及招投标效果的评价,对招标文件的质量和水平、合同文本的完善程度的分析和评价;同时要分析该项目的采购招投标是否有更加经济合理的方法。

(3)开工准备的评价。建设项目开工准备的评价是建设项目后评价工作的一部分,特别是在项目开工前,当建设内容、选址、引进技术方案等发生变化时,应分析这些变化对建设项目目标、效益、风险可能产生的影响。开工准备工作的评价一般有:建设项目法人的组建;土地征购;按照批准的总图组织"三通一平";施工组织设计;工程进度计划和资金使用计划的编制,报批开工报告等。

3.项目建设实施阶段的评价

(1)合同执行情况的分析与评价。合同是建设项目业主与承包商、供货商、制造商、咨询者之间为明确双方的经济权利和义务,依法签订的具有法律效力的协议文件。这些合同包括勘察设计、设备物资采购、工程施工、工程监理和咨询服务合同等。

(2)工程实施及管理评价。工程实施及管理评价主要是对工程的质量、进度和造价等三大控制目标实现程度的分析与评价。工程管理评价是指对管理者在工程三项指标的控制能力及结果方面的分析。这些分析和评价可以从建设项目业主管理和工程监理两个方面分别进行。内容包括工程质量控制的评价、工程进度控制的评价、工程造价控制的分析评价。

(3)建设项目竣工验收工作评价。主要内容包括建设项目完工评价、投产运营准备工作的评价、竣工验收工作评价。

4.项目生产运营阶段的评价

项目生产运营状况,是指建设项目竣工验收投入运营后到评价时点建设项目生产、运行的情况。

(二)建设项目效果和效益的分析与评价

建设项目效益评价就是对建设项目实施的最终效果和效益进行分析评价。即将建设项目的工程技术成果、经济效益、环境效益、社会效益和管理效果等,与建设项目可行性研究和评估决策时所确定的主要指标,进行全面对照、分析与评价,找出变化和差异,分析原因。

建设项目效果和效益的分析与评价是建设项目后评价的基本内容,一般有五个方面,即技术、经济、环境、社会和管理。

1.建设项目技术效果评价

技术效果后评价是对建设项目采用的工艺技术与装备水平的分析与评价,主要关注技术的先进性、适用性、安全性。建设项目技术水平分析,应对建设项目立项时的预期水平与实际达到的水平进行对比,开展调查和评价。

(1)技术先进性。从设计规范、工程标准、工艺路线、装备水平、工程质量等方面分析项目所采用的技术达到的水平,并做出评价。

(2)技术适用性。从技术难度、当地技术水平及配套条件、人员素质和掌握技术的程度,分析建设项目所采用技术的适应性,特别是维护保养技术和装备的配套情况。

(3)技术安全性。通过建设项目实际运营数据,分析所采用技术的可靠性,主要技术风险,安全运营水平等。

2.建设项目社会经济评价

社会经济评价又称国民经济评价,其计算参数和计算方法应以《建设项目经济评价方法与参数》(第二版)和《水利建设项目经济评价规范》(SL72—94)为依据。对综合利用水文水资源工程,除计算工程总体的经济效果外,还应计算各组成部门的经济效益,因此应该进行投资和年运行费分摊计算。在分摊前,应把重估投资和重估年运行费换算为影子投资和影子年运行费,效益也应按影子价格进行调整,并应注意所有费用和效益采用相同的价格水平年。

3.建设项目的环境评价

水文水资源建设项目的环境评价应以《水利水电工程环境影响评价规范》为依据,并应按照工程项目的具体情况,有重点地确定评价范围和评价内容。

环境影响评价的内容主要有:

(1)对局部地区气候的影响;

(2)对水文、水温、水质和泥沙的影响;

(3)对环境地质和土壤环境的影响;

(4)对陆地生物和水生物的影响;

(5)对人群健康的影响;

(6)对景观、文物和重要设施的影响;

(7)移民和施工对环境的影响等。

4.建设项目社会效益评价

社会效益评价的内容,主要是项目建设对当地经济和社会发展以及技术进步的影响。社会影响评价的方法是定性和定量相结合,以定性为主,在诸要素评价分析的基础上,做综合评价。恰当的社会影响评价调查提纲和正确的分析方法是社会影响评价成功的先决条件,应慎重选择。

5.建设项目管理效果评价

建设项目管理效果评价的重点是项目建设和运营中的组织结构及能力。通常,建设项目业主应对建设项目组织机构所具备的能力进行适时监测和评价,以分析建设项目组织机构选择的合理性,并及时进行调整。建设项目管理效果评价包括:

(1)组织结构形式和适应能力的评价;

(2)对组织中人员结构和能力的评价;

(3)组织内部工作制度、工作程序及沟通、运行机制的评价;

(4)激励机制及员工满意度的评价;

(5)组织内部利益冲突调解能力的评价;

(6)组织机构的环境适应性评价;

(7)管理者意识与水平的评价。

(三)建设项目目标实现程度评价和可持续性分析

建设项目目标和可持续性评价,即在总结和评价的基础上,对建设项目目标的实现程度及其适应性、建设项目的持续发展能力及问题、建设项目的成功度等进行分析评价,得出项目后评价结论。

1.建设项目目标实现程度评价

项目建设目标是一切投资活动必须努力实现的宗旨,没有明确目标的投资活动是不可能成功的。后评价一定要对建设项目目标的实现程度进行分析评价。

(1)目标评价的层次。建设项目的目标评价一般有两个层次,一是建设项目的直接目标,即建设项目产生的直接作用和效果;二是宏观层次目标,即对社会和经济可能产生的影响。

(2)目标评价的内容。建设项目目标实现程度评价,一般按照建设项目的投入产出关系,分析层次目标的合理性和实现可能性以及实现程度,以定性和定量相结合的方法,用量化指标进行表述。

建设项目后评价的目标评价(包括绩效评价),主要分析项目前评估中预定目标的实现程度有哪些变化,产生偏离的主观和客观原因。为达到预定目标和目的,应采取哪些措施和对策(见表11-1),必要时,还要对建设项目预定目标和目的的合理性、明确性及可操作性进行分析与评价,提出调整或修改目标和目的的意见与建议。

目标评价的常用分析方法包括目标树法、层次分析法等。

表 11-1　项目预定目标和目的的达到程度分析表

目标或目的内容名称	预定值	项目建成可能达到值	目标目的实现程度(%)	偏离的原因分析	拟采取的对策和措施

(3)建设项目目标实现程度及适应性分析。建设项目目标实现程度评价,主要通过项目的投入产出目标进行分析,要点有:①建设项目投入——资金、物质、人力、资源、时间、技术的投入情况;②建设项目产出——项目建设内容,投入的产出物;③建设项目直接目的——项目建成后的直接效果和作用;④项目宏观目标——经济、社会和环境的影响。

建设项目目标的适应性,是指项目原定目标是否符合全局和宏观利益,是否符合项目的性质,是否符合项目当地的条件等。

2.建设项目的可持续性分析

建设项目的可持续性,是指在项目的建设资金投入完成之后建设项目的既定目标是否还能继续,是否可以持续地发展下去;建设项目投资人是否同意并可能依靠自己的力量继续去实现既定目标。

可持续性分析应列出制约建设项目可持续发展的主要因素,并分析其原因;分析建设项目持续发展的主要条件,提出合理的建议和要求(表11-2)。

表 11-2　建设项目可持续发展条件分析框架

序号	制约因素名称	内容原因分析	外部条件分析	解决方案
1				
2				
...				

3.建设项目的成功度评价

1)建设项目成功度的标准

建设项目成功度评价可分为五个等级：

(1)完全成功的：建设项目的各项目标都全面实现或超过；相对成本而言,取得巨大的效益和影响。

(2)基本成功的：建设项目的大部分目标已经实现；相对成本而言,达到了预期的效益和影响。

(3)部分成功的：建设项目实现了原定的部分目标；相对成本而言,只取得了一定的效益和影响。

(4)有限成功的：建设项目实现的目标非常有限；相对成本而言,几乎没有产生什么正效益和影响。

(5)失败的：建设项目的目标是不现实的,无法实现；相对成本而言,不得不终止。

2)建设项目成功度的测定

建设项目成功度评价设置的主要指标见表11-3。首先,根据具体建设项目的类型和特点,确定测评指标与建设项目的相关程度,并分为"重要"、"次重要"和"不重要"三类,一般只测定重要和次重要的项目内容,通常实际测定的指标约10项；其次,按 A、B、C、D 四等评定各单项指标的成功等级；然后,通过对各项指标的综合分析,也按 A、B、C、D 四等评定项目成功度。

表11-3　建设项目成功度评定表

评定项目指标	相关重要性	评定等级	备　注
1.宏观目标和产业政策			
2.决策及其程序			
3.布局与规模			
4.项目目标及市场			
5.设计与技术装备水平			
6.资源和建设条件			
7.资金来源和融资			
8.项目进度及其控制			
9.项目质量及其控制			
10.项目投资及其控制			
11.项目经营			
12.机构和管理			
13.项目财务效益			
14.项目经济效益和影响			
15.社会和环境影响			
16.项目可持续性			
项目总评			

第三节 建设项目后评价的方法和实施

一、建设项目后评价的方法

建设项目后评价的常用方法有对比法、层次分析法、因果分析法和逻辑框架法等。其中对比法是一种相对比较的方法;因果分析法是对造成变化结果的原因逐一进行剖析,分清主次轻重关系,有针对性地提出对策措施的方法;逻辑框架法不是一种机械的方法程序,而是一种综合系统地研究和分析问题的思维框架模式。

(一)后评价方法的一般原则

(1)动态分析与静态分析相结合,以动态分析为主。

(2)综合分析与单项分析相结合,以综合分析为主。

(3)定量分析与定性分析相结合,以定量分析为主。

(4)对比分析与预测分析相结合,以预测分析为主。

(5)微观效果分析与宏观效果分析相结合。

(6)既要重视项目决策效果评价,又要重视项目实施效果评价。

(二)对比法

对比法是建设项目后评价的常用方法。对比法又分为前后对比法和有无对比法,建设项目后评价更注重有无对比法。

(1)前后对比法。前后对比法是以建设项目前期的可行性研究和评估预测结论以及工程设计确定的技术经济指标,与项目建成的实际运行结果及在后评价时点所做的预测相比较。采用前后对比法,要注意前后数据的可比性。

(2)有无对比法。有无对比法是指将有项目时实际发生的情况与无项目时可能发生的情况进行对比,以度量项目的真实效益、影响和作用。采用有无对比法时,要注意的重点,一是要分清建设项目的作用和影响与建设项目以外的其他因素的作用和影响;二是要注意参照对比,即与其他类似项目进行对比,可以是同行业对比、同规模对比、同地区对比等。

(三)逻辑框架法

逻辑框架法是一种概念化论述和评价项目的方法,即用一张简单的框图来清晰地分析一个复杂项目的内涵和关系,将几个内容相关,必须同步考虑的动态因素组合起来,通过分析其间的关系,从设计策划到项目目标等方面来评价项目建设活动和目标的实现程度。

二、建设项目后评价的实施

建设项目后评价的实施程序为:

(1)建设项目后评价任务提出单位,应将进行建设项目后评价工作的评价范围、目的、任务和具体要求,通知建设项目业主和建设项目管理机构,要求建设项目业主和项目建设管理者做好准备,并积极配合,提供相关的数据资料。

(2)成立后评价工作小组,制定后评价工作计划。咨询评价单位接受建设项目后评价任务后,应及时任命项目后评价负责人,并成立后评价工作小组,制定后评价工作计划。

(3)查阅项目有关文件,收集资料。

(4)设计调查方案,开展现场调查。调查方案是整个调查工作的行动纲领。一般说,现场调查需要了解建设项目的真实情况,包括建设项目的宏观情况和微观情况。宏观情况是建设项目在整个国民经济发展中的地位和作用,微观情况是建设项目自身的建设情况,运营情况,效益情况,可持续发展以及对周围地区经济发展、生态环境的作用和影响等。

(5)分析资料,进行评价,形成报告。在查阅文件和现场调查的基础上,要对已获得的大量信息进行分析评价,经过后评价专家小组讨论后形成后评价报告草稿,送建设项目后评价执行机构最高领导审查,并向委托单位简要通报报告的主要内容,必要时可召开有关各方参加的小型会议,就后评价中提出的某些重大问题进行专题讨论。建设项目后评价报告的草稿经研讨和修改后定稿。正式提交的报告应有"项目后评价报告"和"项目后评价摘要报告"两种形式,并按建设项目后评价协议,分别报送相关单位。

参 考 文 献

[1] 杨培岭.现代水利水电工程项目管理理论与实务.北京:中国水利水电出版社,2004

[2] 陈光键,徐荣初,叶佛容.建设项目现代管理.北京:机械工业出版社,2004

[3] 中国水利经济研究会,水利部规划计划司.水利建设项目社会评价指南.北京:中国水利水电出版社,1999

[4] 国家计划委员会,建设部.建设项目经济评价方法与参数(第二版).北京:中国计划出版社,1993

[5] 卢有杰.基础设施建设和项目融资.中国投资与建设,1996

[6] W·里昂惕夫.投入产出经济学.北京:商务印书馆,1998

[7] 吴之明.现代工程建设的计划与管理.北京:清华大学出版社,1987

[8] 钟契夫,陈锡康,刘起运.投入产出分析.北京:中国财经经济出版社,1993

[9] 国家计委投资研究所,建设部标准定额研究所社会评价课题组.投资项目社会评价指南.北京:经济管理出版社,1997

[10] 姚长辉,金萍.投资项目评估.北京:企业管理出版社,1994

[11] 张文胜.现代管理理论与实践.南京:河海大学出版社,2002

参考文献

[1]
[2]
[3]
[4]
[5]
[6]
[7]
[8]
[9]
[10]
[11]